L'orthographe
Se tester, progresser

Robert BESSON
Professeur d'ENNA

L'orthographe
Se tester, progresser

à l'usage :
— des élèves des Collèges et des Lycées
— des cours de formation et de promotion
— des utilisateurs individuels

Dunod

© BORDAS, Paris 1986
ISBN 2-04-015967-3

TABLE RÉCAPITULATIVE
POUR LA CONSULTATION DE L'OUVRAGE

1re partie : Les signes orthographiques

2e partie : 30 difficultés usuelles à maîtriser

• Les confusions homonymiques

4e partie : Le verbe (et l'adverbe)

• La conjugaison

5e partie : Les sons et l'orthographe

• Les sons - consonnes

CONSEILS D'UTILISATION

Cet ouvrage d'orthographe constitue à la fois :
① *un cours systématique et complet d'orthographe ;*
② *un ouvrage de consultation à garder « sous la main »* et auquel vous pouvez vous reporter chaque fois que vous rencontrez une difficulté, comme on se reporte au dictionnaire.

Un cours systématique et complet d'orthographe

— Cet ouvrage comporte 72 séances de travail portant chacune sur un ou plusieurs thèmes orthographiques. Douze de ces séances, jalonnant l'ensemble du parcours, sont consacrées à des révisions.

— Chaque séance est organisée autour d'une démarche active de recherche et de découverte à partir de l'observation de faits de langage. L'adolescent ou l'adulte engagé dans l'apprentissage orthographique de la langue *observe, compare, réfléchit* et *s'exerce* à maîtriser les difficultés. Au terme de ce cheminement, il aboutit à un *bilan récapitulatif* : les *remarques* utiles sont formulées là avec netteté sous forme de *fiches* et elles peuvent être indéfiniment revues et mémorisées au cours de la scolarité (ou de la formation).

— Chaque séance commence par un *test personnel* que chacun doit réaliser au brouillon : deux ou trois minutes suffisent. Ce test révèle à chacun son propre niveau et lui permet de savoir si la leçon lui est nécessaire. Ce système donne également aux maîtres les moyens d'*individualiser* leur enseignement.

UTILISATION DU TEST

2 fautes ou plus	➤ La leçon est *nécessaire*. Pratiquer tous les exercices et étudier les fiches numérotées.
1 faute	➤ La leçon peut être encore *utile*. De toute façon, étudier les fiches numérotées.
0 faute	➤ Il est possible de faire l'économie de cette leçon et de *passer à une autre*. Mais avant, il peut être bon de revoir les fiches numérotées.

Un ouvrage de consultation

Pour résoudre une difficulté orthographique précise rencontrée dans la vie scolaire ou professionnelle :

1) Reportez-vous à la table récapitulative qui précède et cherchez parmi les fiches répertoriées celle qui correspond à votre problème.

2) Notez le numéro de la fiche et la page exacte où elle figure. Il suffit de vous reporter à cette page et d'étudier la fiche.

Habituez-vous à cette démarche facile et rapide et ayez toujours cet ouvrage sous la main.

Nos fiches

Chacune de nos 192 fiches éclaire les moyens de surmonter une *difficulté* précise :

— elle peut formuler une «règle» (règle d'accord par exemple) ;

— elle peut noter une particularité orthographique ;

— elle peut énoncer un simple constat né de l'observation.

Nous croyons qu'il est important pour l'élève (adolescent ou adulte) d'aboutir, grâce à ces fiches, à *la formulation claire des observations* qui *émergent de sa pratique.*

Cette prise de conscience explicite lui permet de passer d'une pratique intuitive à une pratique raisonnée, méthodique, qui va se consolider à travers les exercices et se renforcer par la répétition.

RAPPELS DE QUELQUES NOTIONS GRAMMATICALES

Le groupe du nom ou GN

① *Les éléments essentiels* (le noyau du groupe) :

Le déterminant	Le NOM
Les	meubles
Nos	amis
Ces	fleurs
Quelques	passants

— *Le nom* est le mot principal du groupe ;
— Il est introduit par un *déterminant* :
  • article : le, la, les, un, une, des ...
  • adjectif possessif : mon, ton, son, notre, votre, leur ...
              mes, tes, ses, nos, vos, leurs ...
  • adjectif démonstratif : ce, cet, cette, ces ...
  • adjectif indéfini : quelques, plusieurs, certains ...
  • adjectif numéral : un, deux, trois, quatre ...
  etc.

② *Les éléments facultatifs* (l'expansion) :

Éléments essentiels		Éléments facultatifs
Déterminant	Nom	
Les	meubles	anciens *(adj. qualificatif épithète)*
Nos	amis	d'enfance (GN *complément de nom*)
Ces	fleurs	que j'ai cueillies *(subordonnée relative)*

③ *Un pronom* peut remplacer le groupe nominal :
— il, elle, ils, elles ... ; celui-ci, celui-là, celles-là...
— le nôtre, les nôtres...

④ *Le groupe de nom* ou *groupe nominal GN* peut occuper dans la phrase *différentes fonctions* (voir ci-après) : sujet, complément d'objet, complément circonstanciel, attribut, complément de nom, ...

La phrase simple *(une seule proposition)*

① *La phrase à deux éléments essentiels*

GN sujet	Verbe
Les meubles	brillent
Ils	brillent
Ces fleurs	se fanent

② *La phrase à trois éléments essentiels*

GN sujet	Groupe du verbe	
	Verbe	GN complément essentiel
Des marins	ont découvert	une île inconnue
Cet article	passionnera	les amateurs
Le chien	obéit	*à* son maître
Je	pense	*à* votre proposition
Ils	parlent	*de* leurs vacances

les compléments essentiels sont :

— *le compl. d'objet dir.*
quoi ?
qui ?
— *le compl. d'objet indir.*
à qui ?
à quoi ?
de quoi ?
de qui ?

à, de ... sont des *prépositions*

③ *La phrase à trois éléments essentiels avec verbe « être »* (ou équivalent : sembler, paraître, rester, demeurer, devenir...)

GN sujet	Groupe du verbe	
	Verbe	groupe attribut
Ce travail	est	difficile
Napoléon	devint	empereur des Français

④ *Les groupes mobiles non essentiels qui peuvent s'ajouter aux phrases précédentes*

GN sujet	Groupe du verbe		(GN) mobile
	Verbe	GN complément essentiel	
Des marins	ont découvert	une île inconnue	— dans le Pacifique — l'an dernier

— dans le Pacifique (lieu)
— l'an dernier (temps)   sont des *compléments circonstanciels*

• A l'opposé des compléments essentiels (complément d'objet direct ou complément d'objet indirect) les *compléments circonstanciels* :

1) Ne sont pas indispensables à la construction de la phrase (si vous les effacez, la phrase reste grammaticalement complète).

2) Peuvent occuper dans la phrase des positions différentes (on dit qu'ils sont *mobiles*).

Exemple : *L'an dernier*, des marins ont découvert une île inconnue.

Des marins, *l'an dernier*, ont découvert une île inconnue.

Des marins ont découvert, *l'an dernier*, une île inconnue.

La phrase complexe *(plusieurs propositions)*

① La phrase avec *subordonnée relative*

Exemple :

Les fleurs *qui m'ont été offertes* (subordonnée relative)	se fanent	dans le vase
GN sujet	V	(GN) mobile

Les subordonnées relatives peuvent se loger dans n'importe quel groupe du nom. Elles sont introduites par un *pronom relatif* (qui, que, dont, où...).

② La phrase avec *subordonnée complétive*

GN sujet	Groupe du verbe	
	V	Groupe complément essentiel
Des marins	ont découvert	• une île inconnue • *que cette île venait d'apparaître* (subordonnée complétive)

La *subordonnée complétive* «*que* cette île venait d'apparaître» joue le même rôle que le *complément essentiel*. Elle est introduite par «*que*», conjonction de subordination.

③ La phrase avec *subordonnée circonstancielle*

GN sujet	Groupe du verbe		(GN) mobile
	V	GN complément essentiel	
Des marins	ont découvert	une île inconnue	— dans le Pacifique — *lorsqu'ils traversaient le Pacifique* (subordonnée circonstancielle)

La *subordonnée circonstancielle* «*lorsqu'*ils traversaient le Pacifique» joue le même rôle que le *complément circonstanciel*.

La subordonnée est introduite par une *conjonction de subordination* : lorsque, tandis que, alors que, bien que, quand...

④ La même phrase peut comporter les *3 types* de subordonnées.

La négation

Phrases affirmatives   *Phrases négatives*

a) Je suis venu hier ⟶ Je *ne* suis *pas* venu hier
                                                      1   2

b) Il a faim ⟶ Il *n'*a *plus* faim
                              1   2

c) Notre ami utilise cet outil ⟶ Notre ami *n'*utilise *jamais* cet outil

                                                                1   2

Remarques :

① La négation est généralement *double*. N'oubliez pas l'un des deux éléments :

1	2		1	2
ne ...	pas		ne ...	guère
ne ...	plus		ne ...	jamais
ne ...	rien			

② Les deux éléments de la négation *encadrent le verbe* (Exemple : phrase *b* et phrase *c*) ou l'*auxiliaire* s'il s'agit d'un verbe à un temps composé (Exemple : phrase *a*).

L'interrogation

① *Trois formes interrogatives :*

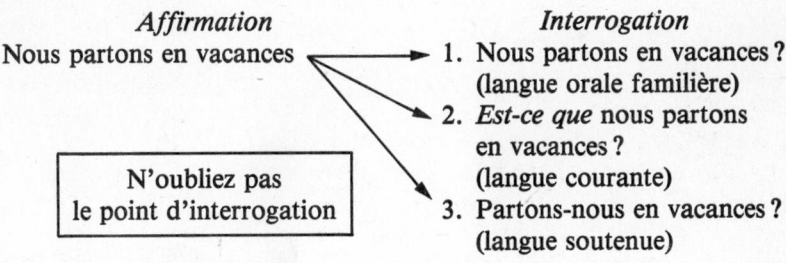

        Affirmation   *Interrogation*

Nous partons en vacances

1. Nous partons en vacances ? (langue orale familière)

2. *Est-ce que* nous partons en vacances ? (langue courante)

N'oubliez pas le point d'interrogation

3. Partons-nous en vacances ? (langue soutenue)

② *L'interrogation dans la langue soutenue.*

1er cas : *le sujet est un pronom*

a) Vous aimez la moto ⟶ *Aimez-vous* la moto ?

      1   2   2   1

Remarque : Le sujet se place après le verbe (inversion) et est relié au verbe par un trait d'union.

b) Il a peur ⟶ A-*t*-il peur ?

Remarque : Un *t* de liaison peut apparaître dans la forme interrogative (voir *fiche 92*).

> 2ᵉ cas : *le sujet est un nom*

Les *Pygmés vivent* en tribus ⟶ Les *Pygmés vivent*-ils en tribus ?
     1   2   1   2

Le sujet reste devant le verbe mais il est *rappelé* après le verbe par un *pronom.*

③ *L'interrogation ne peut porter que sur une circonstance de l'action.*

Nous partons en vacances ⟶ *Quand* partons-nous en vacances ? (temps)
                                    ⟶ *Où* partons-nous en vacances ? (lieu)
                                       etc.

Quand, où, comment, pourquoi... sont des **mots interrogatifs.**

Séance 1 - LES ACCENTS

☐ **Test personnel** *(au brouillon)*

Placez les accents nécessaires sur les mots suivants : charite, maitre, metre, epee, mer, mere, piedestal, paresse, eventuel, esclave, proces, acces, aspect, trapeze, fenetre, arreter, supreme, fleche, creme, vetement, chateau, grace, gracieux, extreme.

Corrigé

charité, maître, épée, mer, mère, piédestal, paresse, éventuel, esclave, procès, accès, aspect, trapèze, fenêtre, arrêter, suprême, flèche, crème, vêtement, château, grâce, gracieux, extrême.

► *Si vous avez commis* deux fautes ou plus *cette leçon vous est nécessaire.*

► *Accent aigu ou accent grave sur le e ?*

1 OBSERVEZ LES MOTS SUIVANTS ET PRONONCEZ-LES

e : le, retour, revenir, melon	(pas d'accent)
é : été, il a répété, décédé	(accent aigu)
è : mère, règle, crème, très	(accent grave)

2 RÉFLÉCHISSEZ ET EXERCEZ-VOUS

① Dans quels cas le *e* est-il appelé *muet* ? Quel est l'accent qui donne au *e* le son *e ouvert* (ai) ? Quel est l'accent qui donne le son *e fermé* (er) ?

② **Précisez pour chacun des *e* accentués dans les mots suivants s'il porte un accent aigu ou un accent grave :**

grève, impétuosité, procès, employé, épée, barème, il achète, élève, célèbre.

9

Conclusion : Complétez au brouillon les phrases suivantes :

— l'accent ... monte [⁄] . Il donne au *e* le son ...

— l'accent ... descend [\ ] . Il donne au *e* le son ...

③ **Mettez sur le *e* l'accent qui convient :**

il penetre - les marches passes - mon frere et mon pere - se demener - la celebrite - il fut execute - un collegien - un remede - la volonte

3 BILAN RÉCAPITULATIF

FICHE 1	ACCENT **AIGU** ⁄ ET ACCENT **GRAVE** \

- *L'accent aigu* (´) se place sur le **e** fermé.
  Exemple : l'**été**, la dict**ée**, r**épété**

  Il donne au *e* le son **er** comme dans « chanter ».
- *L'accent grave* (`) se place sur le **e** ouvert.
  Exemple : la m**è**re, la r**è**gle, aupr**è**s

  Il donne au e le son **ai** comme dans « il chantait ».

Exercices d'application

— Séance 1 : exercices ② et ③, pages 9-10.
— Séance 5 : exercices ① et ②, page 28.

▸ *Faut-il toujours un accent sur le* e *non muet ?*

1 OBSERVEZ LES MOTS SUIVANTS

— *son é* : étonner, et, pied, défaut, réfléchissez
— *son è* : mère, merci, mer, avec, piège, miel

2 RÉFLÉCHISSEZ ET EXERCEZ-VOUS

④ **Quels sont les mots où *e* se prononce *é* ou *è* sans porter d'accent ? Pouvez-vous expliquer pourquoi ?** sinon, reportez-vous à ⑤

(5) **Information**
— Le E prononcé *é* ou *è* prend un accent s'il termine une syllabe ou la constitue à lui seul : é-té, dé-faut, mè-re
— S'il ne la termine pas, il ne prend pas d'accent : a-vec, mer-ci, es-sen-ce

(6) **Exercez-vous à découper en syllabes les mots suivants pour vérifier l'information** (5) :
Exemple : *pié-des-tal*

piédestal, invertébré, réfléchissez, espérer, éventuel, respecter, manifester, errer, secrétaire, essentiel

Attention : Quand une consonne est double, la première achève une syllabe.
Exemple : *im-mé-diat*

(7) **Conjuguez au brouillon les verbes *espérer* et *semer* au présent de l'indicatif. Quelles remarques faites-vous à propos des accents ?**

(8) **Placez les accents qui manquent éventuellement sur les mots suivants :**
il precede - une cuiller - le pluriel - deterrer - severe - fouetter - impeccable - le nez - reperer - gelee - geler - disperser - les vegetaux - le trapeze - excellent - descriptif - le caramel - le projet - le regret

(9) **Relevez et notez plusieurs fois les mots suivants qui prennent un accent bien que la syllabe se termine par une consonne** (ce sont des exceptions) :
un abcès - un congrès - un succès - un procès - un progrès - un décès - auprès - très - exprès

3 BILAN RÉCAPITULATIF

FICHE 2	QUAND FAUT-IL UN ACCENT SUR LE **E** ?

• Quand la lettre E se prononce *é* ou *è*, **elle ne prend un accent que si elle termine une syllabe**
Exemple : ré-pé-*té* , rè-gle , flè-che
• Il n'y a donc **pas d'accent sur le e** :

(1) *devant un **x*** : exemple, réflexion

(2) *devant une **consonne double*** : essence (es-sence), paresse, e*ll*e, charre*tt*e

(3) *devant une **consonne finale*** : chante*r*, e*t*, me*r*, pie*d*, ave*c*

(4) *et dans tous les cas où la syllabe **s'achève par une consonne*** : res-pec-ter, es-cla-ve, pié-des-tal

11

— Séance 1 : exercices ⑥, ⑦, ⑧ et ⑨, page 11.
— Séance 5 : exercices ① et ②, page 28.

▶ L'accent grave sur d'autres voyelles que le e

FICHE 3	L'ACCENT GRAVE SUR LES AUTRES VOYELLES

• *L'accent grave* sur certaines voyelles permet de distinguer des *homonymes* (mots de même prononciation mais de sens différent).

a	: Il a tout perdu	*à*	: Il habite à Lyon ⟶	voir fiche 13
ou	: C'est noir ou blanc	*où*	: Je vais où je veux ⟶	voir fiche 15
la	: Voici la gare	*là*	: Je m'arrête là ⟶	voir fiche 30
ça	: Ça va. Et vous ?	*çà*	: Promenons-nous çà et là	

▶ Quand utiliser l'accent circonflexe ?

1 OBSERVEZ LES MOTS SUIVANTS

ê : la fête, nos ancêtres, prêter, pêle-mêle
â : grâce, le râteau, l'âge, le crâne
î : l'abîme, l'aîné, la fraîcheur
ô : la clôture, ôter, le rôti, l'aumône
û : la bûche, la flûte, août, le goût

2 RÉFLÉCHISSEZ ET EXERCEZ-VOUS

⑩ Prononcez la première série de mots. L'accent circonflexe sur le *e* marque-t-il un *e* fermé (comme l'accent aigu) ou un *e* ouvert (comme l'accent grave) ?

⑪ Seul l'usage peut indiquer les mots qui prennent un accent circonflexe.

En utilisant le dictionnaire ou le tableau de la *fiche 4* placez sur les *e* un accent circonflexe ou un accent grave dans les mots suivants :
la fenetre, la regle, la guepe, une arete, la creme, la crete, un arret, meme, un trapeze, vetir, un vetement, la bete, le proces, la tempete, une foret de chenes, la grele, le reve, la fleche

⑫ **Sur le *a* et le *o* l'accent circonflexe marque, en principe, une voyelle plus longue. Comparez : le bateau, le bâton.**

En vous aidant de la *fiche 4* mettez l'accent circonflexe sur le *a* et le *o* quand il est nécessaire :

le chat, le chateau, le chalet - le rat, le rateau, le rale du mourant, la ration - l'age, l'agent, l'ame, l'amour - batir, barrage, base - flaner, planer, gater, gateau - cloture, clos, éclosion - hopital, hotel - role, roti, rose, roche - dome, drole, doré - froler, frotter

⑬ **L'accent circonflexe permet de distinguer des homonymes. Remplacez les points par le mot qui convient :**

— *hâler, haler :* ... un bateau ; être ... par le soleil
— *tache, tâche :* une ... d'encre ; j'ai achevé ma ...
— *cote, côte :* monter la ... ; les ... d'un dessin
— *rôder, roder :* ... un moteur ; ... dans les rues
— *notre, votre, nôtre, vôtre :* ... maison ; la ... ; ... jardin ; le ...
— *mûr, mur :* le ... de l'usine ; un fruit ...
— *sur, sûr :* l'ouvrage est ... la table ; il paraît ... de lui
— *boîte, boite :* une ... ; il ...

⑭ **En vous aidant de la *fiche 4* :**
— **Trouvez 6 verbes à l'infinitif comportant un accent circonflexe.**
— **Notez une dizaine de mots où vous oubliez d'ordinaire l'accent circonflexe.**

---

3 BILAN RÉCAPITULATIF

FICHE 4	L'ACCENT CIRCONFLEXE : TABLEAU À CONSULTER

ê Écrivez avec un accent circonflexe sur le *e* les mots usuels suivants :

ancêtre	dépêcher	hêtre	suprême[2]
apprêt	empêcher	honnête	tempête
apprêter	empêtrer	intérêt	tête
arête	extrême[1]	mêler	trêve
arrêter	être	même	vêtir
arrêt	enquête	pêche	vêtement
bêche	fêler	pêcheur	...
bête	fenêtre	pêle-mêle	
blême	forêt	poêle	
chêne	frêle	prêt	
conquête	genêt	prêter	1. mais : extrémité
crêpe	gêne	quête	2. mais : suprématie

13

crête	grêle	prêtre
	guêpe	rêve

à Écrivez avec un accent circonflexe sur le *a* les mots usuels suivants :

— Tous les mots terminés par *atre* sauf *quatre* et *psychiatre* : plâtre, théâtre, bleuâtre, rougeâtre, noirâtre, pâtre...

âcre	bâtir	dégât	lâche
âge	bâton	fâcher	mâcher
âme	blâme	flâner	mât (un)
âne	châle	gâter	pâle
âpre	châssis	gâcher	pâte
bâcler	château	gâchette	râle
bâiller	châtaigne	grâce[1]	râteau[2]
bâillon	crâne	hâte	râpe
		infâme	tâter

1. disgrâce : mais gracieux, gracier, disgracieux
2. râteler : mais ratisser, ratissage.

î Écrivez avec un accent circonflexe sur le *i* les mots usuels suivants :

abîme	huître	boîte (une)	fraîcheur
dîme	île	aîné	maître
gîte	dîner	chaîne	traîner
			croître

► Voir : *fiche 154*

ô Écrivez avec un accent circonflexe sur le *o* les mots usuels suivants :

apôtre	cône	hôtel	le nôtre
aumône	côte	hôpital	le vôtre
chômer	côté	dôme	
clôture	côtier	diplôme	
contrôle	côtoyer	dépôt	
pôle			

► Voir : *fiche 153*

û Écrivez avec un accent circonflexe sur le *u* les mots usuels suivants :

assidûment	dégoût	crû (croître)	mûr (un fruit)
bûche	dû (devoir)	flûte	fût (tonneau)
coûteux	crûment	jeûner	être sûr de soi
		mû (mouvoir)	voûte

Exercices d'application

— Séance 1 : exercices ⑪ à ⑭ , pages 12-13.
— En outre exercices d'application correspondant aux fiches 153 et 154.

Séance 2 - LE TRÉMA, LE TRAIT D'UNION

☐ **Test personnel** *(au brouillon)*

1) Placez les trémas où ils sont nécessaires : égoisme, gloire, hair, caiman, marié, un bonheur aigu, une lame aigue, digue, naif.

2) Placez les traits d'union où ils sont nécessaires : dix sept, cent dix, moi même, au loin, au dessus, allez vous en, vous y allez, où vont ils ?

Corrigé

vont-ils ?
2) dix-sept, cent dix, moi-même, au loin, au-dessus, allez-vous-en, vous y allez, où
1) égoïsme, gloire, haïr, caïman, marié, aigu, aiguë, digue, naïf.

► *Si vous avez commis* deux fautes ou plus *cette leçon vous est nécessaire.*

► *Le tréma*

> **1 OBSERVEZ LES MOTS SUIVANTS ET PRONONCEZ-LES**

- *i* : aïeul, égoïsme, stoïque, faïence
- *e* : canoë, Noël
- *u* : ciguë, une pointe aiguë

> **2 RÉFLÉCHISSEZ ET EXERCEZ-VOUS**

① **Dans la série *i* prononcez les mots comme s'ils n'avaient pas de tréma.**

Exemple : *égoïsme* → *égoisme*

Conclusion : Comment le tréma modifie-t-il la prononciation ? Où se place-t-il ?

② **Dans la série *u* comparez : aiguë, ciguë ; figue, digue**

Quelle est la lettre que le tréma oblige à prononcer ? Où se place-t-il ?

③ **Placez le tréma où il est nécessaire :**

un caiman - l'école laique - un homme naif - un glaieul - coincider - hair - le mais (céréale) - la contiguité - un égoiste - une naiade - le celluloid - une mosaique - héroique - c'est inoui

15

| **FICHE 5** | **LE TRÉMA** |

- *Le tréma est constitué par deux points juxtaposés.*
  Placé sur une voyelle, il indique qu'*elle se sépare par la prononciation de la voyelle précédente.*
  Exemples : *naïf* (na-if), *Noël* (No-el)
- *Le tréma peut être placé sur le e, le i et le u.*
  Placé sur le *e* dans les mots en « gue » il indique que le **u** doit être prononcé :
  Exemple : *une pointe aiguë* (prononcer « aigu »)

Exercices d'application

— Séance 2 : exercice ③, page 15.
— Séance 5 : exercice ④, page 28.

▶ *Le trait d'union*

1 **OBSERVEZ LES MOTS SUIVANTS**

a - l'arc-en-ciel, la contre-attaque, un chef-d'œuvre
b - dix-huit, quatre-vingt-douze, cent dix
c - il dit, dit-il, vous allez, où allez-vous ?
d - lui-même, vous-même, eux-mêmes

2 **RÉFLÉCHISSEZ ET EXERCEZ-VOUS**

④ **Certains mots composés (série *a*) que seul le dictionnaire peut vous indiquer prennent des traits d'union entre leurs éléments. Placez-les dans les mots suivants s'ils sont nécessaires :**
Un libre service - un procès verbal - un château fort - peut être - avant dernier - beaux arts - grand père - nouveau né - hors d'œuvre - au dessous - état major - vis à vis - la Croix Rouge - un faux fuyant

⑤ **Pourquoi, dans la série *b*, des traits d'union à certains nombres composés et pas à d'autres ? Si vous ne le savez pas, lisez l'information suivante :**
— *Information.* **Les nombres composés *inférieurs à 100* comportent un trait d'union entre leurs éléments.**

— **Écrivez à votre tour :** 66, 17, 19, 120, 87, 23, 95, 103.

(6) **Dans la série c, comparez :** il dit ; dit-il.

— **Quelle est la position du sujet par rapport au verbe dans chaque phrase ?**

— **Dans quel cas le verbe est-il relié à son sujet par un trait d'union ?**

(7) **Placez le trait d'union où il est nécessaire :**

Que dit il ? - Est ce vrai ? - Nous allons à Paris - Allons nous à Paris ? - « Ah, non ! » s'écria t il

(8) **Remarque complémentaire :** le trait d'union sert également à lier le verbe aux pronoms compléments qui le suivent ainsi qu'à *en* et à *y*.

Exemple : *donne-le-moi ; allez-vous-en ; allez-y.*

Placez le trait d'union où il est nécessaire :

dites le lui - prenez le - gardez en - gardez le moi - rendez nous les - donne lui en - cueilles en

(9) **Dans la série d le trait d'union se place entre quels mots ?**

Cherchez quels sont les différents ensembles ou « même » suit un pronom personnel.

Exemple : *Moi-même* .... *Eux-mêmes*

---

3 BILAN RÉCAPITULATIF

FICHE 6	**LE TRAIT D'UNION**

Le trait d'union sert à lier :

(1) *Les éléments de certains mots composés*

Exemples : *peut-être, au-dessus, avant-dernier...*

(2) *Les éléments d'un nombre composé inférieur à cent* s'ils ne sont pas reliés par « et »

Exemples : *dix-sept, quatre-vingt-quinze.* Mais : cent dix

(3) *Le verbe au pronom (sujet ou complément) qui le suit et aux mots en et y*

Exemples : *dit-il - Où allez-vous ? - rends-le-moi - vas-y - prends-en*

Exercices d'application

— Séance 2 : exercices **(4)** à **(9)**, pages 16-17.
— Séance 5 : exercice **(6)**, page 28.

Séance 3 - L'APOSTROPHE - LA MAJUSCULE

☐ **Test personnel** *(au brouillon)*

1) Mettez l'apostrophe là où elle est nécessaire :

Je crois que (elle viendra) - il me (étonne) - puisque (il le dit) - il est presque (oublié) - lorsque (ils entraient) - jusque (où)

2) Notez au brouillon en mettant les majuscules nécessaires :

les villes de paris et berlin sont européennes - il parle anglais - les anglais sont nos voisins - la côte atlantique - l'atlantique - un breton - un gâteau breton - monsieur le ministre

Corrigé

l'Atlantique - un Breton - un gâteau breton - Monsieur le Ministre
2) Paris, Berlin, européennes - il parle anglais - les Anglais - la côte atlantique -
1) qu'elle viendra, m'étonne, puisqu'il, presque oublié, lorsqu'ils, jusqu'où.

► *Si vous avez commis* deux fautes ou plus *cette leçon vous est nécessaire.*

► *L'apostrophe*

1 OBSERVEZ LES MOTS SUIVANTS

a - Le regard, l'oubli, l'habitation - Il me voit, il **m'**étonne
b - Ce n'est pas lui - **C'**est moi - Il **n'**y voit rien - Merci **d'**avance
c - Je pense **qu'**il arrive - **Lorsqu'**il sera là - **s'**il le veut

2 RÉFLÉCHISSEZ ET EXERCEZ-VOUS

① **Dans chacune des séries *a*, *b*, *c* quelles sont les lettres qui sont supprimées et remplacées par l'apostrophe ? Devant quelles autres lettres (au début du mot qui suit) ?**

② **Placez *le* ou *la* devant les noms suivants :** Espagne, Afrique, spectateur, œuf, habit, avare, mer, urne, arôme

③ **Remplacez les points, selon le cas, par la voyelle qui convient ou par l'apostrophe :**

Je l ... ai vu - Il s ... en est aperçu - Je crois qu ... tout va bien - Je sais qu ... il nous attend - Quelqu ... un frappe - Quelqu ... chose ne va pas ? - Il n ... y croit pas - Jusqu ... alors il travaillait bien - Puisqu ... il le dit - Puisqu ... tu le crois - Il vient d ... outre-mer - S ... il vient, qu ... il entre - S ... elle vient, qu ... elle entre

④ **Dressez la liste de tous les mots qui comportent l'apostrophe dans l'exercice ③ et dans les séries a, b, c.**

3 BILAN RÉCAPITULATIF

| FICHE 7 | L'APOSTROPHE |

1. *L'apostrophe marque une élision,* c'est-à-dire la suppression de la voyelle finale *a, e ou i* dans certains mots grammaticaux.

Exemples : *l'Espagne (la + Espagne), l'oubli (le + oubli)*

2. *Cette suppression a lieu quand le mot qui suit commence par une **voyelle** ou un **h muet**.*

Exemple : *j'arrive d'outre-mer à l'heure prévue*

3. *Seuls certains mots grammaticaux peuvent prendre l'apostrophe.*
— *le, la, je, me, te, se, de, ce, ne, que, jusque ...*

Exemples : *jusqu'où ? C'est vrai - Qu'en pense-t-il ?*
— *lorsque, parce que, puisque, quoique* : devant il, ils, elle, elles, on, un, une. *Si* mais seulement devant *il* et *ils* (Exemple : *s'il veut - si elle veut*). *Quelque* uniquement dans l'expression « quelqu'un ».

Exercices d'application

— Séance 3 : exercices ③ et ④, page 19.
— Séance 5 : exercice ⑤, page 28.

▶ La majuscule

1 OBSERVEZ LES PHRASES ET LES MOTS SUIVANTS

a - La porte était close. Nous avons frappé et quelqu'un est apparu dans l'entrebâillement. C'était une femme d'une soixantaine d'années.
b - un homme, Dupont, un ami, Paris, la France.
c - un Français, le sport français, les Bretonnes, les vaches bretonnes.

2 RÉFLÉCHISSEZ ET EXERCEZ-VOUS

⑤ **Dans la série *a* combien distinguez-vous de phrases différentes ? Où sont placées les majuscules ?**

⑥ **Placez les majuscules nécessaires dans le texte suivant :**
le vendredi suivant, l'étranger reparut - il avait un chapeau couleur de pourpre - il tira de son sac une flûte et tous les garçons de la ville le suivirent - ils allèrent tous jusqu'à la montagne, auprès d'une caverne maintenant bouchée - le joueur de flûte entra dans la caverne et tous les enfants avec lui - on ne les revit jamais. *(d'après Mérimée)*

⑦ **La série *b* comporte cinq noms. Pourquoi certains prennent une majuscule et d'autres non ?**

⑧ **Placez les majuscules nécessaires :**
J'ai visité rome et florence - L'empereur napoléon appartenait à la famille bonaparte - J'ai deux chiens appelés médor et trompette - C'est pasteur qui inventa le vaccin contre la rage - Je m'appelle pierre durand et j'habite à lyon au confluent du rhône et de la saône - Avez-vous lu l'article de jacques fauvet dans le journal « le monde » ?

⑨ **Dans la série *c* quels sont les noms propres collectifs ? Quels sont les adjectifs ? Lesquels prennent une majuscule ?**

Attention ! Pas de majuscule non plus au nom qui désigne la langue : l'étude du français.

⑩ **Mettez les majuscules nécessaires :**
Le français est parlé par tous les francophones - Le français paraît moins respectueux des lois que l'allemand - La normandie, la bourgogne, la savoie sont des provinces françaises - L'anglais est la langue la plus parlée dans le monde - Les produits américains s'exportent en europe et en asie -

Les américains sont en concurrence avec les japonais sur les marchés français - Le musée du louvre est visité, chaque année, par des touristes anglais, allemands, espagnols et par des milliers d'américains, de chinois et de japonais.

⑪ **Les titres d'ouvrages prennent une majuscule au premier nom.**

Exemple : *J'ai lu « les Misérables » et « les Fleurs du mal »*

Écrivez ainsi une douzaine de titre de romans, de pièces de théâtre ou de recueils de vers.

3 BILAN RÉCAPITULATIF

FICHE 8	LA MAJUSCULE

On met *une majuscule* :

1. *Au premier mot d'une phrase :* « **L**'orage approchait. **Un** vent violent se mit à souffler. **L**'averse crépita. »

2. *Aux noms propres*

Exemples : *Dupont, Jacques, Victor Hugo, Paris, la Loire ...*

Attention ! Mettez une majuscule aux *noms propres* qui désignent les habitants (les Allemands, les Bretons...) mais jamais à *l'adjectif* correspondant (le commerce allemand, un gâteau breton). Pas de majuscule non plus quand il s'agit de la *langue* (l'étude de l'anglais).

3. *Aux titres et aux termes de politesse*

Exemple : — *Je vous prie, Madame, de bien vouloir ...*
      — *Monsieur le Ministre, Monsieur le Préfet*

4. *Au titre d'un livre, d'une œuvre artistique, d'un journal*

Exemples : — *Il lisait « les Fleurs du mal »* (majuscule au premier nom)
       — *J'ai vu « la Joconde »*

5. *Au premier mot de chaque vers.*

Exercices d'application

— Séance 3 : exercices ⑥, ⑧, ⑩ et ⑪, pages 20-21.
— Séance 5 : exercice ⑦, page 29.

Séance 4 - LA PONCTUATION

☐ **Test personnel** *(au brouillon)*

Placez la ponctuation nécessaire dans le texte suivant :

« Le soleil s'éteindra-t-il nous laissons cette question aux romanciers d'anticipation ce qui nous intéresse nous c'est l'avenir de notre époque son avenir immédiat limité évaluable comment améliorer le sort des plus malheureux que faire pour juguler les guerres qui ensanglantent une partie de notre planète voilà des questions qui exigent des réponses urgentes laissez-nous rêver en paix me répondront les imaginatifs que diable nous avons bien assez de soucis »

Corrigé

Le soleil s'éteindra-t-il ? Nous laissons cette question aux romanciers d'anticipation. Ce qui nous intéresse, nous, c'est l'avenir de notre époque, son avenir immédiat, limité, évaluable. Comment améliorer le sort des plus malheureux ? Que faire pour juguler les guerres qui ensanglantent une partie de notre planète ? Voilà des questions qui exigent des réponses urgentes. « Laissez-nous rêver en paix, répondent les imaginatifs. « Que diable ! nous avons bien assez de soucis ! »

► .Concluez : Quelles fautes avez-vous commises ? Quels sont les signes de ponctuation dont vous maîtrisez le plus mal l'emploi ? Reportez-vous aux indications qui leur correspondent.

► *Comment utiliser le point et la virgule ?*

1 OBSERVEZ

a - **Le point.** Les déménageurs prirent le piano et descendirent lentement les cinq étages par la fenêtre. Un enfant les observait en silence.

Les déménageurs prirent le piano et descendirent lentement les cinq étages. Par la fenêtre, un enfant les observait en silence.

b - **La virgule.** — J'ai vu Jacques, André, Pierre et Georges.

— Henri IV, roi de France, mourut en 1610.

① **Où se place le point dans la phrase ? Un point mal placé peut-il changer le sens d'une phrase ?**

② **Pour rétablir le sens juste de ces phrases, placez le point au bon endroit.**

— Le chien gémissait dans une tasse. Un reste de gâteau le tentait.

— Antoine était si affamé qu'il mangea sans lever la tête la grosse dame aux bigoudis. Ses parents et deux voisins l'observaient en souriant.

③ **D'après les exemples *b* où place-t-on les virgules dans la phrase ?**

— **Placez la ponctuation (points et virgules) dans le texte suivant et ajoutez les majuscules nécessaires :**

L'oncle Jules dans un fauteuil près de la porte vitrée lisait un journal Paul accroupi dans un coin jouait tout seul aux dominos ma mère cousait près de la fenêtre immobile et attentive mon père assis devant la table tout en aiguisant un canif lisait à haute voix en répétant chaque phrase une histoire incompréhensible tout autour de la maison jusqu'aux collines lointaines se pressaient les pentes d'oliviers et de pins.

④ **Placez les virgules qui manquent dans les phrases suivantes :**

C'étaient partout des herbes folles des fleurs sauvages des buissons - J'ai visité Rome Florence Naples et cent autres villes - Le garde un grand gaillard barbu s'approcha de moi - Il criait pleurait vociférait.

FICHE 9	LE **POINT** ET LA **VIRGULE**

La ponctuation marque, dans l'écriture, les pauses et les inflexions de la voix.

• *Le point* (pause importante) se place à la fin de la phrase pour indiquer qu'elle est achevée.

Exemple : *Tout à coup, le vent fraîchit. La montagne devint violette.*

Attention ! N'oubliez pas *la majuscule* après le point.

• *La virgule* (pause courte) se place à l'intérieur de la phrase pour séparer certains éléments :

— *des éléments juxtaposés* : J'ai visité Rome, Florence, Naples. Il criait, pleurait, se lamentait.

— *des éléments intercalés* : Henri IV, roi de France, mourut en 1610.

   (entre *deux* virgules)

*— des éléments **déplacés** de leur ordre habituel*
- *ordre habituel : Ils ont travaillé dehors malgré le mauvais temps.*
- *déplacement : Malgré le mauvais temps, ils ont travaillé dehors.*

Exercices d'application

— Séance 4 : exercices ③ et ④, page 23, ⑭ , page 27.
— Séance 5 : exercice ⑧, page 29.

▶ Comment utiliser le point d'interrogation et le point d'exclamation ?

1 OBSERVEZ

| ? | Que dites-vous ? Quoi ? Comment ?

| ! | Quelle heureuse surprise ! Oh ! le beau jardin !

2 RÉFLÉCHISSEZ ET EXERCEZ-VOUS

⑤ **Joignez par des flèches selon l'exemple donné :**

!
— il se place après une question
— il se place après une phrase qui exprime une émotion
?
— il se place après une courte interjection
— il se place après un mot interrogatif

⑥ **Placez la ponctuation qui convient :**
Quelle triste fin - Où est-il passé - Aïe - Hélas - Connaissez-vous l'Amérique - Quelle heure est-il - Quelle magnifique région - Ah mon dieu tout est perdu - Qui a mis le feu

⑦ **Transformez chacune des phrases déclaratives suivantes en phrases interrogatives comme dans l'exemple donné.**

Exemple : *Nous prenons le train* ⟶ *Est-ce que nous prenons le train ?*
Prenons-nous le train ?

Ils passeront leurs vacances à la montagne - Nous nous intéressons à la peinture - Ils aiment la moto - Tu connais ma maison.

FICHE 10	LE **POINT D'INTERROGATION** ? ET LE **POINT D'EXCLAMATION** !

• *Le point d'interrogation* ? se place après une *question* exprimée par une phrase ou par un simple mot interrogatif.

Exemple : *Quand partez-vous ? Comment ?*

• *Le point d'exclamation* ! se place :

— après une interjection : Hélas ! Oh ! Ah ! Attention !
— à la fin d'une phrase exclamative (surprise, colère, joie...)

Exemples : *Comme le ˈel est bleu, aujourd'hui !*
Quelle triste journée !

Exercices d'application

— Séance 4 : exercices ⑥ et ⑦, page 24.

▶ *Comment ponctuer le dialogue ?*

1 | **OBSERVEZ LE TEXTE SUIVANT**

(Guffin qui est parvenu à se rendre invisible rend visite à son ami, le Dr Kemp)

Kemp le regardait avec une perplexité infinie.

« Vous devez m'avoir suggéré que vous étiez invisible, dit-il.

— Allons donc !

— Mais cela est fantastique !

— Écoutez-moi... Je meurs de faim et la nuit est froide pour un homme qui n'a pas de vêtement. »

Kemp eut une sourde exclamation. Il se dirigea vers sa garde-robe et en tira un vêtement d'étoffe rouge sombre.

« Cela fait-il votre affaire ? »

Le vêtement lui fut pris des mains ; il flotta en l'air, flasque pendant un moment ; puis il s'agita d'étrange façon, se dressa moulant un corps, se boutonna de lui-même et s'assit dans le fauteuil.

H.G. Wells *(L'Homme invisible)*

2 RÉFLÉCHISSEZ ET EXERCEZ-VOUS

8 Après avoir observé le texte répondez aux questions suivantes :
— Quand ouvre-t-on les guillemets ? Quand les ferme-t-on ?
— Comment remarque-t-on que l'on change d'interlocuteur ?
— Quand va-t-on à la ligne ? Quand utilise-t-on un tiret ?

9 Imaginez librement la suite de cette scène en mêlant le dialogue et le récit.

10 Disposez correctement et ponctuez les deux textes suivants.

Un flatteur : Voilà mon Tistet qui aborde le pape et lui dit en joignant les mains ah mon Dieu grand Saint Père quelle brave mule vous avez là et il la caressait et il lui parlait doucement comme à une demoiselle venez ça mon bijou mon trésor ma perle fine et le bon pape tout ému se disait en lui-même quel bon petit garçonnet.

Chez le coiffeur : Monsieur veut-il une friction non un shampooing alors non monsieur a tort cela raffermit le cuir chevelu et détruit les pellicules.

3 BILAN RÉCAPITULATIF

FICHE 11	LA PONCTUATION DU DIALOGUE

- Exemple de ponctuation du dialogue dans un récit :
Voir le texte de H.G. Wells page précédente.

- *Remarques :*
— On ouvre les guillemets pour rapporter les paroles de quelqu'un.
— On utilise le tiret pour marquer le changement d'interlocuteur et on va à la ligne.
— On ferme les guillemets quand le dialogue est interrompu ou terminé.

Exercices d'application

— Séance 4 : exercices **9** et **10** , page 26.

— Séance 5 : exercice **8** , page 29.

FICHE 12	LE **POINT-VIRGULE** ET LES **DEUX POINTS**

• *Le point-virgule* $\boxed{;}$ (pause atténuée de la voix) sépare dans une phrase deux propositions *liées par le sens*.

Exemple : *Des poissons s'approchèrent de l'appât ; l'un d'eux mordit le ver dodu.*

• *Les deux points* $\boxed{:}$ annoncent :

— une *citation*. Montaigne a écrit : « savoir par cœur n'est pas savoir » (la citation est entre guillemets) ;

— les *paroles d'un personnage*. Il déclara avec force : « Je ne cèderai pas » ;

— une *énumération*. Le tiroir était bondé : peigne, brosses, photos, vieilles lettres ;

— une *explication*. Il s'enfuit en nous voyant : il nous avait pris pour des policiers (sens de « car », « en effet »).

EXERCICES

⑪ Mettez les deux points ou les guillemets quand il convient :

Il m'a dit, ma décision est prise - Victor Hugo fait déclarer à un de ces personnages, les révolutions sont nécessaires - Malraux écrivait, la vie ne vaut rien mais rien ne vaut la vie - Je vidais ma sacoche, chiffons, tenaille, burette à huile, vieux fourneaux - Il pâlit soudain, il avait aperçu notre chien de garde - Il faut partir, le vent se lève.

⑫ Rédigez deux ou trois phrases comportant un point-virgule.

⑬ Rédigez deux ou trois phrases comportant deux points.

⑭ Synthèse de la ponctuation. Mettez la ponctuation qui convient aux textes suivants :

— Le guide m'observait avec curiosité vous sentez vous capable dit il de grimper jusque là haut J'hésitais à répondre en contemplant la paroi escarpée puis je me décidais Allez dis je préparez les sacs les piolets les provisions nous partirons à l'aube

— Savez vous pourquoi j'aime le printemps parce que c'est une renaissance de la nature tout jaillit à la vie les herbes les bourgeons les premières feuilles le soleil est d'une incomparable douceur quelle merveilleuse saison

Les accents et le tréma

► Revoir : *fiches 1 à 5*

① **Mettez les accents où ils sont nécessaires (sur le *e*) :**
invertebre - errer - secretaire - essentiel - merci - excellent - descriptif - severe - il precede - regret - les vegetaux - esperer - je seme - je repere - congres - succes - palmares - essence - paresse - piedestal

② **Même exercice (sur le *e* et sur d'autres voyelles) :**
Ce jour-la il sortit tot - Ça et la poussaient des fleurs - Voici le quartier ou j'habite - Il a un frere aine - Je suis alle a la pharmacie - Vous etes en progres - Il s'etait couche la, au pied d'un chene, pres de la foret, a cent metres de chez lui - Preferez-vous du the ou du cafe ? - La fraicheur de l'ete, en plein mois d'aout, est exceptionnelle cette annee - Il s'arreta a l'extremite du chateau, aupres de la cloture.

③ **Mettez l'accent circonflexe où il est utile :**
l'aumone - pele-mele - le maitre - l'huitre - gracieux - disgrace - crane - ratisser - rateau - chaine - trainer - diner - lache - conquete - conquerir - roder un moteur - une tache d'encre - une tache ardue - notre jardin - il est sur de lui - les cotes d'un dessin - les cotes de l'Atlantique - hotel - il boite

④ **Proposez six mots qui prennent un tréma et écrivez-les.**

Le trait d'union et l'apostrophe

► Revoir : *fiches 6 et 7*

⑤ **Remplacez les points par la voyelle qui convient ou par l'apostrophe :**
Je l...ai vu - Puisqu...il le dit - Je sais qu...il nous attend - Lorsqu...il sera là - S... elle veut - S... il veut - Parce qu...elles s...en vont.

⑥ **Mettez les traits d'union où ils sont nécessaires :**
Allez vous en - Prenez le - Gardez le moi - Vous me le gardez - Donnez lui en - Où allez vous ? - Il y va - Vas y - Les beaux arts - Le grand père - L'avant dernier - Au dessus - A l'est - Vis à vis - Soixante dix sept - Quatre vingt quatre - Cent sept - Quatre vingt quatorze - Cent dix - Dix sept.

La majuscule et la ponctuation

► Revoir : *fiches 8 à 12*

⑦ Mettez les majuscules où elles sont nécessaires :
Le menuisier - le peintre - jules dupont - les poètes lamartine, musset et hugo - les villes de marseille et de bordeaux - les quatre grands fleuves français sont la loire, la seine, le rhône et la garonne - les français passent pour individualistes - j'ai lu deux romans : « notre dame de paris » et « le rouge et le noir » - les américains et les japonais mènent une guerre économique en europe - l'anglais est la langue la plus parlée - monsieur le ministre - monsieur l'inspecteur du travail

⑧ Placez la ponctuation nécessaire (et les majuscules) :
Il se glissa dans la maison abandonnée par une petite porte autour de lui c'était le silence la pénombre et la poussière partout traînaient pêle-mêle de vieux meubles des chiffons des ustensiles de cuisine et des livres dépenaillés brusquement dans l'obscurité une porte s'ouvrit que faites-vous ici dit une voix pierre se retourna brusquement je croyais cette maison abandonnée dit-il vous avez tort cette maison m'appartient et j'y reviens quelque fois pardonnez-moi dit pierre je sors immédiatement.

⑨ Placez la ponctuation et les majuscules :
tout à coup à quelques pas devant lui quelque chose de noir et de gigantesque s'abattit il se tut c'était le lion à n'en pas douter maintenant on voyait très bien sa formidable encolure et deux yeux deux grands yeux qui luisaient dans l'ombre tartarin se dressa en joue feu pan pan au coup de feu du tarasconnais un hurlement terrible répondit on dut l'entendre en afrique jusqu'au bout du sahara je l'ai eu cria le redoutable tartarin

(d'après A. Daudet)

Séance 6 - FAUT-IL ÉCRIRE ...
A, À ? *ET, EST* ? *EST, AI, ES* ?

☐ **Test personnel** *(au brouillon)*

1) Placez un accent sur le *a* quand il est nécessaire : cet enfant a des difficultés à l'école - nous irons a pied jusqu'a la ville - on a sa fierté - il y a huit jours qu'il me l'a dit

2) Écrivez *et* ou *est* à la place des points : il ... dans l'erreur ... toi aussi - la pluie ... tombée cette nuit ... la chaussée ... toute luisante - il ... grand ... fort

3) Écrivez à la place des points *est, es* ou *ai* : tu ... attentif mais j'... vu que tu ne suivais plus - Je n'... pas une bonne note - Il ... trop tard - J'... gagné la course qui s'... déroulée mercredi - ... tu pressé ?

Corrigé

3) tu es, j'ai vu - je n'ai - il est - j'ai gagné, qui s'est déroulée - es-tu ?
2) il est, et toi - est tombée, et la chaussée est - il est grand et fort
1) a des difficultés à l'école - à pied, à la ville - on a - il y a a, a dit

► *Si vous avez commis* deux fautes ou plus *cette leçon vous est nécessaire.*

► a *sans accent ou* à *avec accent ?*

1 OBSERVEZ LES PHRASES SUIVANTES

a - Il *a* faim. Votre ami *a* pris de l'avance.
à - Il habite *à* Paris. Nous marchons *à* pied.

2 RÉFLÉCHISSEZ ET EXERCEZ-VOUS

① **Dans les deux premiers exemples *a* est la forme de quel verbe ? Mettez ce verbe à l'imparfait. Conjuguez-le à toutes les personnes du présent de l'indicatif.**

② **Dans les deux derniers exemples *à* peut-il être conjugué ? Peut-il être remplacé par *avait* ?**

Conclusion : Comment ne pas confondre *a* et *à* ?

30

③ **A la place des points, écrivez *a* ou *à* :**

Il m'... regardé avec curiosité - Il tient ses outils ... la main - ... votre place, j'irai ... la gare .... bicyclette - Il y ... huit jours qu'il est parti - Il ... des amis ... voir - On ... vu ce film ... la télévision - Il ... beaucoup de travail ... faire - Elle ... beaucoup de mal ... suivre votre raisonnement - Il n'y ... qu'... refuser.

④ **Pour chaque phrase procédez comme dans l'exemple donné :**

Exemple : *il a une moto* ———► *il avait une moto*
avoir une moto

Il a huit ans - Elle n'a pas voulu - Le joueur a mal au genou - A-t-elle achevé son travail ? - N'a-t-elle rien oublié ? - Il a perdu ses clés - Qu'a-t-on fait pour l'aider ?

---

3 BILAN RÉCAPITULATIF

FICHE 13	A OU À ?

• Si $\boxed{a}$ *peut se remplacer par* **avait** *il s'écrit* **sans accent**. C'est le verbe **avoir** (il peut se conjuguer).

Exemple : *Il **a** une guitare*   (= il **avait** une guitare)
présent   imparfait
de l'indicatif

• Si $\boxed{à}$ *ne peut pas se remplacer par « avait » il prend* **un accent**.
C'est une préposition.

Exemple : *J'ai parlé **à** vos amis*
• **Note** : Ah ! quel merveilleux voyage ? (l'exclamation s'écrit **ah**)

Exercices d'application

— Séance 6 : exercices ③ et ④, page 31, ⑪ , page 33.
— Séance 9 : exercices ① et ②, page 44.

▶ Et *ou* est ? est, es *ou* ai ?

---

1 OBSERVEZ LES PHRASES SUIVANTES

a - Cet homme *est* heureux - L'eau *est* claire
b - Voici vos livres *et* vos cahiers - Frappez *et* entrez
c - Tu *es* aimable - J'*ai* une idée

---

2 RÉFLÉCHISSEZ ET EXERCEZ-VOUS

⑤ **Dans la série *a* remplacez « cet homme » par « ces hommes ». Quel est l'autre mot de la phrase qu'il faut modifier ? Il s'agit de quel verbe ?**

Commencez la phrase par « Hier, cet homme... » puis par « Demain, cet homme... ». Quelles autres modifications apportez-vous ?

⑥ **Conjuguez le verbe *être* au présent de l'indicatif puis à l'imparfait.**

⑦ **Dans la série *b* pouvez-vous remplacer « et » par « était » ? S'agit-il d'un verbe ? Pouvez-vous remplacer par « et puis » ?**

Conclusion : Comment ne pas confondre *et* et *est* ?

⑧ **Remplacez les points par *et* ou *est*.**
Il ... revenu - Ce problème ... facile - Le ciel ... bleu ... sans un nuage - Il prit son parapluie ... sortit - Pierre ... malade ... il souffre - Cet homme ... grand ... fort - Il ... l'heure de s'en aller - Voici un marteau ... des clous.

⑨ **Dans la série *c* mettez les deux phrases à l'imparfait. De quel verbe s'agit-il dans la 1ʳᵉ phrase ? Dans la 2ᵉ ? Conjuguez au présent de l'indicatif : être aimable, avoir une idée.**

⑩ **Remplacez les points par *et*, *est*, *es* ou *ai*.**
Tu ... premier et Jacques ... deuxième - J'... un ami qui ... ébéniste - Je n'... pas compris l'explication ... il faudra que je relise ce qui ... écrit - ... -tu seul ? - Où ...-tu ? - Ce sont les clés que j'... perdues - J'... lu un roman de Victor Hugo ... des poésies - Entrez ... prenez le livre qui ... sur la table - Il ... sept heures et tu n'... pas encore prêt - J'... peur que tu sois en retard - J'... taillé les arbres ... planté des fleurs.

FICHE 14	ET, EST - EST, ES, AI

- *On écrit **EST** quand on peut remplacer par **était**.*
Il s'agit du verbe ***être*** (il peut se conjuguer).

Exemple : *Il **est** heureux*   (= *il **était** heureux*)
     présent
     de l'indicatif   imparfait

- *On écrit **ET** quand on peut remplacer par **et puis**.*
Il s'agit d'une conjonction de coordination.

Exemple : *Voici vos livres **et** vos cahiers* (vos livres + vos cahiers)
       et puis

- *Pour ne pas confondre **EST**, **ES** et **AI** on met à l'imparfait* et on considère
la personne.
 — J'**ai** faim = j'**avais** (verbe **AVOIR**)
 — *Tu* **es** impatient = tu **étais** (verbe **ÊTRE**) - 2e pers. du singulier
 — *Il* **est** impatient = il **était** (verbe **ÊTRE**) - 3e pers. du singulier

Exercices d'application

— Séance 6 : exercices ⑧ et ⑩ , page 32.
— Séance 9 : exercices ③, ④ et ⑤, page 44.

⑪ **Synthèse. Remplacez par... :**
 — **a** ou **à** : Un plan est ... l'étude - Il est ... peine ébauché - Tout ... une
fin - Ce livre est ... qui ? - C'est ... quelques pas d'ici - Notre ami ... la grippe -
Il ... beaucoup ... faire - C'est ... ce moment que je suis entré - Notre équipe
... perdu - Nous voici ... présent dans la chambre où Napoléon ... couché.

 — **et, est, es** ou **ai** : Il ... certain que je n'... pas assez travaillé - Tu n'...
pas encore prêt ? - Où ....-tu ? - ...-je le temps de changer de vêtements ? - Il
... bientôt trois heures ... demi et j'... rendez-vous à quatre heures - Quel ...
votre avis ? - Ce gaz ... très léger ... il n'a pas d'odeur.

Séance 7 - FAUT-IL ÉCRIRE ...
OU, OÙ ? ON, ONT ? SON, SONT ?

☐ **Test personnel** *(au brouillon)*

1) Mettez l'accent où il est nécessaire : Le pays d'ou je viens - Ou es-tu ? - Veux-tu ceci ou cela ? - C'est noir ou blanc - N'importe ou - Trois ou quatre.

2) Ajoutez un *t* à *on* quand il le faut : Ils l'on vu - On dit que - Mes amis on dit qu'on utilisait mal l'appareil - Ceux qui on menti - On y va.

3) Ajoutez un *t* à son quand il le faut : Le père et son fils son arrivés - Regardez son stylo - Ils se son regardés - Il y met tout son courage.

Corrigé

3) ... son fils sont arrivés - son stylo ... - se sont regardés - son courage
2) ils l'ont vu - on dit - mes amis ont dit qu'on ... - ceux qui ont ... - on y va
1) d'où je viens - où es-tu ? - ceci ou cela - noir ou blanc - n'importe où - trois ou quatre

► *Si vous avez commis* deux fautes ou plus *cette leçon vous est nécessaire.*

Ou *sans accent,* où *avec accent ?*

1 OBSERVEZ LES PHRASES SUIVANTES

— *ou* : Est-il petit *ou* grand ? Préférez-vous la mer *ou* la montagne ?
— *où* : *Où* allez-vous ? A l'époque *où* j'étais enfant...

2 RÉFLÉCHISSEZ ET EXERCEZ-VOUS

① **Dans les deux premières phrases** *ou* **marque-t-il un choix entre deux possibilités ? Lesquelles ?**
Essayez de remplacer par « ou bien ». Est-ce possible ?

② **Dans les deux dernières phrases** *où* **peut-il se remplacer par « ou bien » ? Marque-t-il un choix ?**
Lequel des deux « où » indique-t-il « le temps » ? Lequel indique « le lieu » ?

③ **Parmi les phrases suivantes cherchez dans lesquelles vous pouvez remplacer *ou* par *ou bien*.**

Nous irons au Danemark ou en Suède - Le pays d'où je viens est plus méridional - Où voulez-vous en venir ? - C'est à prendre ou à laisser - Dites la vérité ou taisez-vous - J'ai envie de fuir n'importe où.

④ **Ajoutez un accent sur *ou* quand il le faut.**

Ou vas-tu ? - Je ne sais pas ou vous m'entraînez - Il marchait ici ou là - Noirs, Jaunes ou Blancs, nous sommes tous des hommes — Il faut prendre ce chemin ou celui-ci - Est-ce un chat ou un chien ? - C'était l'année ou je vous ai rencontré - Je ne sais pas ou il est - D'ou vient-il ? - Vous préférez ceci ou cela ?

---

3 BILAN RÉCAPITULATIF

FICHE 15	OU OU OÙ ?

- $\boxed{Ou}$ *s'écrit sans accent quand il peut être remplacé par « ou bien »*

Exemples : — *Ils étaient trois **ou** quatre*
         — *Est-ce une angine **ou** une grippe ?*

Ou est une conjonction de coordinnation.

- $\boxed{Où}$ *prend un accent grave s'il n'est pas possible de le remplacer par « ou bien »*

Exemples : — *Allez **où** vous voudrez* (marque le *lieu*)
         — *Les jours **où** il faisait beau nous sortions* (marque le *temps*)

Où avec accent est, selon le cas, adverbe ou pronom relatif.

Exercices d'application

— Séance 7 : exercices ③ et ④, page 35, ⑭, page 38.
— Séance 9 : exercice ⑥, page 44.

▶ **« On »** *ou* **« ont »** *?*

1 OBSERVEZ LES PHRASES SUIVANTES

— *Ont* : Ils *ont* perdu leurs clés - Nos amis *ont* une caravane.
— *On* : *On* a volé ma bicyclette - Quand part-*on* ?

⑤ **Dans les deux premières phrases remplacez le sujet par «il». Que devient** *ont* **? Il s'agit de quel verbe ?**

⑥ **Dans les deux premières phrases essayez de remplacer «ont» par «avaient». Est-ce possible ?**

⑦ **Conjuguez : «avoir» au présent de l'indicatif. «Ont» correspond à quelle personne ?**
Conjuguez ensuite «avoir» à l'imparfait.

⑧ **Dans les deux dernières phrases distinguez le sujet, le verbe, le complément :**
— **Quelle est la fonction de «On» ?**
— **A quelle personne est le verbe qui suit ?**
— **Pouvez-vous remplacer «on» par «avaient» ?**

⑨ **Remplacez les points par** *on* **ou par** *ont***.**
Des sangliers ... dévasté les champs - ... doit modifier le tracé de la route - Je veux qu'... me dise la vérité - Ils ... une maison à la campagne - Lorsqu'... a trop couru, ... se repose. Ceux qui nous ... menti seront punis - Ces enfants ... froid ; ... ne les a pas assez habillés - Les lézardes ... été bouchées - Voici comment ... utilise cet appareil - Où va-t-... ? - Combien ... coûté ces vêtements ? - ... m'a volé ma bicyclette - Ils ... gagné la coupe.

3 **BILAN RÉCAPITULATIF**

FICHE 16	**ON** OU **ONT** ?

• ⬛ *Ont* ⬛ *s'écrit **O-N-T** quand on peut le remplacer par **avaient**.*
Exemple : *Ils **ont** faim* (= *ils avaient faim*)
On peut aussi le mettre au singulier : *il a faim*
Il s'agit du verbe AVOIR : 3e personne du pluriel du présent de l'indicatif.
• ⬛ *On* ⬛ *s'écrit **O-N** dans les autres cas.* Il peut être remplacé par *il* ou par *quelqu'un*.
Exemple : ***On** a volé ma bicyclette* (= *quelqu'un* a volé...)
On est un pronom, *sujet* du verbe. Après **on** le verbe est toujours à la 3e personne du singulier.

— Séance 7 : exercice ⑨, page 36, ⑭, page 38.
— Séance 9 : exercices ⑦ et ⑧, page 45.

► « *Son* » ou « *sont* » ?

1 OBSERVEZ LES PHRASES SUIVANTES

> — *son* : André a pris *son* foulard - Voici mon voisin avec sa femme et *son* fils.
> — *sont* : Ils *sont* heureux - Nos amis *sont* étonnés de vous voir ici.

2 RÉFLÉCHISSEZ ET EXERCEZ-VOUS

⑩ **Que devient « *son* » dans les deux premières phrases :**
— **Si vous mettez « foulard » et « fils » au pluriel ?**
— **Si vous remplacez « foulard » et « fils » par des noms féminins ?**

⑪ **Complétez les phrases suivantes en évitant les répétitions :**
Pierre a pris son foulard, André a pris aussi ... - Mon oncle est avec son fils et mon voisin avec ... .

⑫ **Dans les deux dernières phrases :**
— **Remplacez « ils » et « nos amis » par « il ». Que devient** *sont* **?**
— **Conjuguez « être heureux » et « être étonné » à toutes les personnes du même temps. De quel temps s'agit-il ?**
— **Mettez « ils sont heureux » à l'imparfait.**

Conclusion : Comment ne pas confondre *son* et *sont* ?

⑬ **Remplacez les points par** *son* **ou** *sont*.
Il prit ... élan - Ils se ... bien entendus - Ce ... mes livres - ... père et sa mère ... mécontents de ... travail - Les soldats ... consignés dans la caserne - Il y mit tout ... courage - Nos amis ne ... pas encore arrivés - ... frère et lui se ... disputés - Ce ... de braves gens qui se ... trompés de train.

FICHE 17	SON OU SONT ?

● **Son** *s'écrit **S-O-N** devant un nom lorsqu'il peut être remplacé par **mon**, **ton**, **notre**...*

Exemple : *Le Directeur est dans **son** bureau (=**mon** bureau, **notre** bureau...)* le sien

C'est un adjectif possessif : mon, ton, son, ma, ta, sa...

● **Sont** *s'écrit **S-O-N-T** lorsqu'on peut le remplacer par **étaient**.*

Exemple : *Ils **sont** partis (= ils **étaient** partis)*

C'est le verbe ÊTRE (3e pers. du pluriel, présent de l'indicatif).

Exercices d'application

— Séance 7 : exercice ⑬ , page 37.
— Séance 9 : exercices ⑨ , ⑩ et ⑪ , page 45.

⑭ **Synthèse. Remplacez par ... :**

— **ou, où** : J'irai ... vous voudrez - Prenez l'un ... l'autre - C'est oui ... non ? - Par ... passer ? - Voilà ... il vit - On ne voit rien d'... je suis placé - Au moment ... nous vivions ensemble - C'est le village ... je suis né.

— **on, ont** : ... dit qu'ils ... tout perdu - Mes amis ... un chien qu'... prendrait pour un chat - ... n'y peut rien - Les spécialistes ... déclaré qu'... aurait un hiver rigoureux - ... le leur a dit et ils y ... cru.

— **son, sont** : C'est à ... tour de jouer - Ce ... des amis fidèles - Qui ... ces gens ? - ... frère et ... oncle ... d'excellents joueurs de ping-pong - Quels ... vos projets - Les juges ... convaincus de ... innocence.

Séance 8 - FAUT-IL ÉCRIRE ...
CE, SE? CES, SES? C'EST, S'EST?

☐ **Test personnel** *(au brouillon)*

1) Ajoutez *ce* ou *se* : *ce* vieil homme *se* presse - Ils *se* sont vus *ce* matin - Je regarde *ce* qu'il fait - *ce* qui m'inquiète pour *ce* garçon *c'* est qu'il *se* trompe.

2) Ajoutez *ces* ou *ses* : Regardez *ces* hommes - Jacques et *ses* amis - *ses* parents attendent Pierre près de *ces* arbres, là-bas - Il connaît *ses* résultats à l'examen - *ces* deux stylos m'appartiennent.

3) Écrivez *c'est* ou *s'est* : Il *s'est* égaré dans la montagne - *c'est* lui qui a gagné - Je ne sais pas si *c'est* vrai - *c'est* une journée merveilleuse.

Corrigé

3) s'est égaré - c'est lui - c'est vrai - c'est une journée...
2) ces hommes - ses amis - ses parents ... ces arbres - ses résultats - ces deux stylos
pour ce garçon c'est qu'il se trompe
1) ce vieil homme se presse - ils se sont vus ce matin - ce qu'il fait - ce qui m'inquiète

➤ *Si vous avez commis* deux fautes ou plus *cette leçon vous est nécessaire.*

▶ Ce *ou* se ?

1 OBSERVEZ LES PHRASES SUIVANTES

- *Ce* : Donnez-moi *ce* livre - A quoi sert *ce* document ?
- *Se* : Votre ami *se* trompe - Il *s'*exprime clairement

2 RÉFLÉCHISSEZ ET EXERCEZ-VOUS

① **Dans les deux premières phrases que devient *ce* :**
— Si l'on met *livre* et *document* au pluriel ?
— Si l'on remplace ces noms par *lampe* et *bouteille* ?

Conclusion : *Ce* est devant quelle sorte de mot ? Comment varie-t-il ?

② **Dans les deux dernières phrases :**
— *Se* est devant quelle sorte de mot ?

— **Conjuguez** « se tromper » **au présent de l'indicatif. Quels sont les pronoms qui remplacent tour à tour** *se* **dans la conjugaison ?**

— **Pourquoi y a-t-il une apostrophe dans** « s'exprime » **?**

③ **Remplacez les points par** *ce, se* **ou** *s'* **:**

Ils ... penchaient pour mieux voir - ... soir, le soleil ... couchera sur la mer - Il ... embrouille en récitant - ... qu'il dit est faux - ... lézard ... glisse sous les bûches - ... dont vous parlez me concerne - Ils ... sont écrits durant tout l'élé - Il ... est enfui ... matin - Il ne ... doute pas de ... qui ... passe en ... moment - Ils ... sont donné trois jours de repos ... mois-ci - J'écoute ... qu'il dit et j'observe ... qu'il fait.

---

3 ┃ BILAN RÉCAPITULATIF

FICHE 18	**CE OU SE ?**

> • ⟦**SE**⟧ *s'écrit* **S-E** *devant un verbe pronominal. En conjuguant on peut le remplacer par* **me, te**...
>
> Exemples : *Il **se** presse* ⟶ verbe « se presser » (je *me*..., tu *te*...)
> *Il **s'**enfuit* ⟶ verbe « s'enfuir » (je *m'*..., tu *t'*...)
> Le pronom personnel **se** s'élide devant une voyelle ⟶ **s'**
>
> • ⟦**CE**⟧ *s'écrit* **C-E** *dans tous les autres cas*
> — il peut être devant un nom : **ce** livre, **ce** matin
> On peut le remplacer par *cette* en mettant au féminin : *cette* nuit.
> C'est un adjectif démonstratif :
> — il peut être devant *que, qui, dont* : **ce** que je vous dis
> **ce** dont je vous parle
> C'est un pronom démonstratif **ce** qui m'inquiète

Exercices d'application

— Séance 8 : exercice ③, page 40, ⑭, page 43.
— Séance 9 : exercices ⑫ et ⑬, page 45.

▶ C'est *ou* s'est

1 ┃ OBSERVEZ LES PHRASES SUIVANTES

C'est : **C'est** tout - **C'est** un ami qui m'a téléphoné.
S'est : Il **s'est** trompé - L'oiseau **s'est** envolé.

④ **Mettez les deux premières phrases à l'imparfait puis au futur.**

Conclusion : Dans «c'est tout» «ce sera tout»... quel est le verbe ? Quel est le sujet de ce verbe ?

⑤ **Dans les deux dernières phrases mettez le verbe à l'infinitif.**

Rappel : «se tromper», «s'enfuir» sont des verbes pronominaux.

Conjuguez ces deux verbes au passé composé. Que devient *se* **aux autres personnes ?**

⑥ **Conclusion : Comment ne pas confondre** *c'est* **et** *s'est* **?**

⑦ **Transformez chaque phrase à la forme interrogative comme dans les deux exemples donnés.**

Exemple : *C'est lui* ⟶ *Est-ce lui ?*
Il s'est perdu ⟶ *S'est-il perdu ?*

C'est quelqu'un qui me demande - C'est votre ami - C'est trop tard. Il s'est enfui - Jacques s'est éloigné - La voiture s'est écrasée contre un arbre.

⑧ **Remplacez les points par** *c'est* **ou** *s'est***.**

Il ... égaré dans les bois - ... vrai - ... un serpent qui ... caché dans un trou - ... un chien qui ... jeté dans mes roues - ... trop tard pour aujourd'hui - Mais ... incroyable ! - Je reviendrai si ... possible - Mon frère ... blessé - Je ne sais pas si ... vrai - ... bien cet homme qui ... enfui à mon approche.

3 **BILAN RÉCAPITULATIF**

FICHE 19	C'EST OU S'EST ?

• ⌈**S'est**⌋ *s'écrit avec* **S'** *s'il fait partie d'un verbe pronominal* (se cacher, s'enfuir...). En conjuguant il peut être remplacé par **me, te**...

Exemple : *Il* ***s'est*** *perdu*   *je* **me** *suis perdu, tu* **t'**es *perdu ...*
(verbe : se perdre)

• ⌈**C'est**⌋ *s'écrit avec* **C'** *dans tous les autres cas.* **C'** *peut être remplacé par* **cela**.

Exemple : ***C'est*** *vrai* (= ***Cela*** *est vrai*)

Exercices d'application

— Séance 8 : exercices ⑦ et ⑧, page 41, ⑭ , page 43.
— Séance 9 : exercice ⑮ , page 45.

▶ Ces *ou* ses

1 OBSERVEZ LES PHRASES SUIVANTES

ces : Goûtez *ces* fruits - Regardez *ces* arbres - Prenez *ces* boîtes
ses : Il a perdu *ses* clés - Jean parle à *ses* amis

2 RÉFLÉCHISSEZ ET EXERCEZ-VOUS

⑨ **Dans les trois premiers exemples mettez les noms au singulier. Que devient *ces* ?**

⑩ **Placez devant les noms suivants *ce, cet* ou *cette* (voir fiche 39) puis mettez au pluriel.**

Exemple : *Cette maison ⟶ ces maisons*

chien	campagne	bouteille	atlas
animal	élan	empereur	exemple

⑪ **Dans les deux derniers exemples mettez les noms au singulier. Que devient *ses* ? A qui appartiennent les clés ?**

⑫ **Placez devant les noms de l'exercice ⑩ *son* ou *sa* puis mettez au pluriel.**

Exemple : *sa maison ⟶ ses maisons*

⑬ **Remplacez les points par *ses* ou *ces*.**
Il a pris ... chaussures - Admirez ... arbres, au bord de la rivière - Prenez ... outils-là et travaillez - André a réuni ... camarades - Tous ... livres m'appartiennent - Il a ... habitudes - Regardez autour de vous ... prés, ... bois, ... rivières - ... parents attendent impatiemment ... résultats à l'examen.

FICHE 20	**CES OU SES ?**

> • **Ces** *peut se remplacer par* **ce, cet** *ou* **cette** *au singulier*
>
> Exemple : *Acceptez* **ces** *fleurs* (= **cette** *fleur)*
> **Ces** est un adjectif démonstratif au pluriel (il désigne comme si l'on montrait du doigt).
>
> • **Ses** *peut se remplacer par* **son** *ou* **sa** *au singulier*
>
> Exemple : *Il couvre* **ses** *livres* (= **son** *livre)*
> les siens
> **Ses** est un adjectif possessif.

Exercices d'application

— Séance 8 : exercices ⑩ à ⑬ , page 42.

⑭ **Synthèse. Remplacez par ... :**

— ce ou se : ... touriste ... trompe d'hôtel - Voici ... que je crois - La voilà qui ... évanouit - ... produit ... vend dans les grands magasins - ... qu'il m'a dit est stupéfiant - Il ... méfie de tout le monde - ... livre ... lit facilement - Il ... demande ... qui ... passe.

— c'est ou s'est : ... lui qui ... trompé - ... le moment de partir - ...-il rendu compte de son erreur ? - Tout ... bien passé - ... une erreur qui ... glissée dans nos calculs.

— ces ou ses : ... gens sont trop pressés - Il a pris ... vacances en août - ... livres nous appartiennent - ... amis l'apprécient beaucoup - ... animaux sont dangereux - Regardez ... nuages - Chaque homme a ... qualités et ... défauts.

A *sans accent,* a *avec accent ?*

► Revoir : *fiche 13,* page 31.

① Conjuguez le verbe *avoir* au présent de l'indicatif et à l'imparfait.

② Remplacez les points par *a* ou *à* :
Il m'... regardé ... travers ses lunettes - Elle ... beaucoup de mal ... suivre votre raisonnement - Il n'y ... qu'... se taire - Il ... mal ... la tête - Que vous ... t-on dit ? - Ce travail ... été fait ... la main - Il y ... trois jours qu'il ... terminé cet ouvrage - La porte ... été fermée ... clé.

Et *ou* est *?* est, es *ou* ai *?*

► Revoir : *fiche 14*, page 33.

③ Conjuguez le verbe *être* au présent de l'indicatif et à l'imparfait.

④ Remplacez les points par *et* ou par *est* :
Cette tâche ... difficile - Il ... grand ... fort - Cette maison, là-bas, ... délabrée ... inhabitée - Voici mon frère ... ma sœur - Avec du courage ... de la patience, il ... possible d'aboutir - Prenez vos livres ... vos cahiers - ... il arrivé ? C'... frais ... nourrissant.

⑤ Remplacez les points par *es, est* ou *ai* :
J'... perdu mon portefeuille - Il ... en cuir et j'... fait graver mes initiales - Si tu ... content, reviens nous voir - C'est moi qui ... changé l'ampoule - Elle ... dépolie - C'est toi qui ... le premier - Je crois qu'il ... trop tard mais j'... pris mes précautions - Celui qui ... coupable doit se dénoncer.

Ou *sans accent,* ou *avec accent ?*

► Revoir : *fiche 15*, page 35.

⑥ Mettez un accent sur *ou* quand il le faut :
C'est vrai ou c'est faux - Ou est-il ? - Irez-vous à Naples ou à Venise ? - Souvenez-vous de l'époque ou je vous ai connu ? - Nous partirons n'importe ou - Voici la maison ou je suis né - Ou que vous alliez, je vous rejoindrai - C'est lui ou c'est moi.

On *ou* ont?

► Revoir : *fiche 16*, page 36.

⑦ **Conjuguez le verbe *avoir* au présent de l'indicatif et à l'imparfait.**

⑧ **Remplacez les points par *on* ou *ont* :**
... va construire un pont sur ce fleuve - Ils ... construit un pont mais ... ne l'utilise pas - Pourquoi ... - ils l'air triste ? - Voici comment ... doit utiliser cet appareil - Combien ... coûté ces travaux ? - Mes amis ... une guitare électrique - Je veux qu'... m'écoute - Ils m'... bien écouté.

Son *ou* sont?

► Revoir : *fiche 17*, page 38.

⑨ **Conjuguez le verbe *être* au présent de l'indicatif et à l'imparfait.**

⑩ **Réécrivez les phrases suivantes en mettant le nom souligné au singulier :**
Il discute avec ses <u>amis</u> - Il faut qu'il prenne ses <u>outils</u> - Nos <u>amis</u> ont pris leur parapluie - Voici ses <u>livres</u>.

⑪ **Remplacez les points par *son* ou *sont* :**
Voici Jacques et ... voisin - Ils se ... promenés toute la journée - Ce ... de bons amis - Albert et ... frère se ... cachés là.

Ce *ou* se? c'est *ou* s'est

► Revoir : *fiche 18,* page 40 et *19* page 41.

⑫ **Conjuguez les verbes pronominaux suivants au présent de l'indicatif, à l'imparfait et au futur simple : se tromper, se distraire.**

⑬ **Remplacer les points par *ce* ou *se* :**
Je veux ... qu'il y a de plus solide - ... serait une erreur d'agir ainsi - Il sait ... qu'il dit - Il ... demande où aller ... promener ... dimanche - ... sont tous de braves gens dans ... quartier et ils ... entraident souvent - Voici ... dont nous parlions ... jour-là - Il ... souvient de tout.

⑭ **Conjuguez le verbe *se tromper* au passé composé.**

⑮ **Remplacez les points par *c'est* ou *s'est* :**
Il ... trompé de chemin - ... une erreur - On ... cru au paradis - Comme ... beau ! - ... un homme qui vous demande - Pierre ... foulé une cheville et ... brisé le poignet.

Séance 10 - FAUT-IL ÉCRIRE ...
ON OU *ON N'*? *LEUR* OU *LEURS*?

☐ **Test personnel** *(au brouillon)*

1) Mettez le *n'* où il est nécessaire : On … a pas regardé et on … a pressé le pas - On … a volé ma bicyclette - Je crois qu'on … a tort d'agir ainsi - On … évolue jamais très vite - On … a très faim - On … entend pas très bien - On … hésite un peu avant d'agir.

2) Mettez ou non un *s* à leur : Ils leur… ont distribué des livres - Ce sont leur… propres affaires - Leur… maisons sont éloignées et il leur… est arrivé à tous deux de se perdre - Nous leur… avons prêté nos disques et rendu les leur… .

Corrigé

2) Ils leur ont - Leurs propres affaires - Leurs maisons, il leur est arrivé - Nous leur avons prêté, les leurs.

1) On n'a pas, on a pressé - On a volé - On a tort - On n'évolue jamais - On a faim - On n'entend pas - On hésite un peu.

► *Si vous avez commis* deux fautes ou plus *cette leçon vous est nécessaire.*

► On *ou* on n'

1 **OBSERVEZ LES PHRASES SUIVANTES**

On : *On* approche.	*On* entend un bruit.
On n' : *On n'*approche *pas* encore.	*On n'*entend *pas* un bruit.

2 **RÉFLÉCHISSEZ ET EXERCEZ-VOUS**

① **Rappel sur la forme négative.**

On passe de la forme affirmative à la forme négative en encadrant le verbe par les *deux éléments* de la négation (ne … pas, ne … plus, ne … rien, ne … jamais, etc.).

Exemple : *Il a faim* ⟶ Il *n'*a *pas* faim
Il *n'*a *plus* faim
　　　　1　　2

— **Transformez ainsi ces phrases affirmatives :**
Il pleut - C'est une rose - Notre ami réussira - Nous irons au bois.

② **Transformez également les phrases suivantes en phrases négatives et numérotez chacun des éléments de la négation.**

Exemple : *On a tort d'agir ainsi* ⟶ On *n'*a *pas* tort d'agir ainsi :
$$1 \quad 2$$

On encourage les élèves - On a perdu la partie - On envisage le départ - On est heureux - On hésite avant d'agir - On avance vers le but.

③ **Dans les phrases négatives obtenues dans l'exercice ② pourquoi risque-t-on d'oublier le *n'* ?**
Remplacez dans ces phrases *on* par *il*. Entendez-vous les deux éléments de la négation ?

④ **Remplacez les points par *on* ou *on n'* :**
... écoute avec intérêt - ... écoute jamais assez les explications - ... a pas vu Jacques - Voici ce qu'... a entendu - Ils ont cru qu'... avait rien à dire - ... a tous échoué - ... a jamais fini d'apprendre - ... arrive encore en retard.

⑤ **Utilisez les verbes suivants avec *on* puis *on n'* :**
écouter, hésiter, attendre, avoir perdu, admirer, emporter, apercevoir.

---

3 ┃ BILAN RÉCAPITULATIF

FICHE 21	ON OU ON N' ?

● *Pour savoir si **ON** est suivi d'un **N'** remplacez-le par **IL**.*

Exemples : ***On** est arrivé* ⟶ *Il est arrivé* (pas de négation)
***On** n'est pas arrivé* ⟶ *Il n'est pas arrivé*
$$1 \quad 2 \qquad 1 \quad 2$$
(les 2 éléments de la négation s'entendent avec **IL**)

● *Nota :* **On** est un pronom indéfini et ***ne*** un adverbe de négation (***ne*** s'élide devant une voyelle ou un ***h*** muet : ***n'***).

Exercices d'application

— Séance 10 : exercices ②, ④ et ⑤, page 47.
— Séance 16 : exercice ④, page 63.

► Leur *sans* s *ou* leurs *avec un* s *?*

1 OBSERVEZ LES PHRASES SUIVANTES

a - Mes amis ont *un* chat c'est *leur* chat. C'est *le leur*.
Mes amis ont *des* chats ce sont *leurs* chats. Ce sont *les leurs*.
b - J'écris à des amis Je *leur* écrit.

2 RÉFLÉCHISSEZ ET EXERCEZ-VOUS

⑥ **Dans la série *a* que devient *leur*?**
— Si vous remplacez «mes amis» par «mon ami»?
— Si vous remplacez «chat» par «chatte»?

Conclusion : Dressez la liste des adjectifs possessifs (mon, ton...).

⑦ **Dans la série *a* «leur» est devant *un nom*. Remplacez ainsi l'article par «leur» ou «leurs» devant chacun des noms suivants :**

un jardin   une boîte   des coiffures   des livres
des jardins   un outil   une maison   un emploi
des chaussures   des vêtements   des cerises

⑧ **Remplacez chacun des groupes obtenus dans l'exercice ⑦ par *le leur*, *la leur* ou *les leurs*.**

Exemple : *leur jardin* ———► *le leur*

⑨ **Dans la série *b* remplacez «des amis» par «un ami». Que devient «leur»? Placé ainsi devant un verbe *leur* peut-il prendre un *s*?**

⑩ **Dans les phrases suivantes remplacez *leur* par *lui* quand vous le pouvez :**
Je leur parle - C'est leur ami - Ils viennent ce soir selon leur habitude - Il leur exposa ses projets - Nous leur avons proposé notre aide - Je crois qu'il leur faudra de la patience - Leur maison est mal tenue et je le leur ai dit.

⑪ **Remplacez les points par *leur* ou *leurs* :**
... parents les accompagnent - Je le ... ai dit - Je ... ai montré les plans - Demandez-... de nous rejoindre - Voici mes résultats et voici les ... - Nous ... avons dit que ... espoirs étaient vains - Ils ont pris ... vacances.

FICHE 22	**LEUR OU LEURS ?**

• **_Leur_** _est invariable lorsqu'il peut être remplacé par_ **_lui_** _au singulier._ Il est en général devant un verbe.

      Exemples : _Je **leur** parle_   Je _lui_ parle
                 Demande-**leur**   Demande-_lui_

► **_Leur_** est un pronom personnel.

• **_Leur_** _prend la marque du pluriel dans les autres cas :_
    — devant un nom au pluriel : **leurs** amis.
                     C'est un adjectif possessif.
    — dans l'expression « les **leurs** ».
                     C'est un pronom possessif.

Exercices d'application

— Séance 10 : exercices ⑦, ⑧ et ⑩ , page 48.
— Séance 16 : exercice ⑤, page 63.

⑫ **Remplacez le mot souligné par** *leur* **ou** *leurs* **:**

Je le <u>lui</u> ai dit - Je <u>lui</u> donne ces livres - Ces outils sont à moi, voici les <u>siens</u> - Ils ont <u>des</u> opinions politiques - Ils sont en train de <u>lui</u> parler - Achetez-<u>lui</u> des journaux - Voici <u>ses</u> amis et voici <u>son</u> père.

⑬ **Placez** *leur* **ou** *leurs* **devant les mots suivants et employez l'expression dans une courte phrase.**

Exemple : leur plaire ⟶ il cherchait à leur plaire

plaire - demander - idées - maison - convenir - enfants - dire - admiration - vêtements.

Séance 11 - FAUT-IL ÉCRIRE ...
MÊME OU *MÊMES* ? *TOUT* OU *TOUS, TOUTE(S)* ?

☐ **Test personnel** *(au brouillon)*

1) Ajoutez ou non un *s* à même : Même... les hommes étaient émus - Les hommes même... étaient émus - Ces mesures ne sont pas même... suffisantes - Même... verts, ces fruits sont bons - Ils ont même... des chiens de garde.

2) Accordez *tout* quand il le faut : (tout) les jours et à (tout) heure - Cette fillette est (tout) émerveillée et (tout) contente — Elles furent (tout) étonnées - J'ai visité l'exposition (tout) entière à travers (tout) les stands - Elles sont (tout) rouges et (tout) éblouissantes.

Corrigé

2) tous les jours, à toute heure - tout émerveillée et toute contente - tout étonnées - tout entière, tous les stands - toutes rouges, tout éblouissantes.

1) **Même** les hommes - Les hommes mêmes - pas même suffisantes - **Même** verts - même des chiens.

► *Si vous avez commis* deux fautes ou plus *cette leçon vous est nécessaire.*

► Même *avec un* s *ou sans* s ?

1 OBSERVEZ LES PHRASES SUIVANTES

a - Ce sont les *mêmes* livres - Ce sont les livres *mêmes* que je vous ai prêtés.
b - Nous-*mêmes*, vous-*mêmes*, eux-*mêmes*, elles-*mêmes*.
c - *Même* les livres ont été tachés ; *même* nous, *même* vous, *même* eux.
d - Ils criaient, ils pleuraient *même*.
e - Il faut respecter les lois, *même* sévères.

2 RÉFLÉCHISSEZ ET EXERCEZ-VOUS

① **Dans les séries *a* et *b* mettez les phrases ou les expressions au singulier. Que devient « mêmes » ?**

Même est donc ici variable. En *c, d* et *e* il est invariable.

② Comparez *a* et *c*. Quand *même* se rapporte à un nom, comment doit-il être placé par rapport à ce nom pour s'accorder à lui ?

Deux positions à bien préciser.

③ Comparez *b* et *c*. Quand *même* se rapporte à un pronom pluriel (nous, vous, eux), comment doit-il être placé pour s'accorder avec lui ?

Une seule position.

④ Remplacez les points par *même* ou *mêmes*.

Je travaille toujours avec les ... amis - ... les amis peuvent nous trahir - Il ne voyait plus personne, ni ses camarades ni ses amis ... - Ce sont les ... ouvriers qui travaillèrent ici l'an dernier - Nous achèverons ce travail nous - ... - ... cuits, ces fruits sont savoureux - Ces sommes ne sont pas ... suffisantes - Elle avait les ... yeux que son frère - J'ai ... cueilli des fleurs - ... les savants commettent des erreurs - Ce sont les cadeaux ... dont je rêvais - ... eux peuvent se tromper - Ils viendraient eux-... - Faites ce travail vous-... .

---

3 BILAN RÉCAPITULATIF

FICHE 23	L'ACCORD DE **MÊME**

- **Même** ne prend la marque du pluriel que dans **trois cas** :
  1. *Immédiatement à côté d'un nom au pluriel :*

  Exemples : *Ce sont les **mêmes** livres*   (avant)
  *Ce sont les livres **mêmes** que je vous ai prêtés*   (après)

  2. *Immédiatement après un pronom au pluriel :*

  Exemples : *nous-**mêmes**, vous-**mêmes**, eux-**mêmes**, elles-**mêmes***

  3. *Dans l'expression « les mêmes »*

  Exemple : *Ce sont encore les **mêmes** qui bavardent.*

- **Même** est *invariable dans tous les autres cas*. En particulier :
  — S'il est séparé du nom par un déterminant.

  Exemple : ***Même** les livres étaient tachés.*
  — S'il est devant un pronom.

  Exemple : ***Même** nous, **même** vous...*

Exercices d'application

— Séance 11 : exercice ④, page 51 et ⑫, page 53.
— Séance 16 : exercice ①, page 63

▶ *Accord de* tout

1 OBSERVEZ LES PHRASES SUIVANTES

> *a* - Tout le jour, toute la nuit, tous les jours, toutes les nuits
> *b* - Nous sommes tout contents - La maison tout entière

2 RÉFLÉCHISSEZ ET EXERCEZ-VOUS

⑤ **Dans la série *a* «tout» est *adjectif*. Il est placé devant quelle sorte de mot ?**

Récapitulez les différentes formes qu'il peut prendre dans le tableau suivant :

masculin singulier	**tout**	*masculin pluriel* ...
féminin singulier	...	*féminin pluriel* ...

⑥ **Placez *tout* à la forme qui convient devant les groupes suivants :**

les mois	ce travail	la campagne	les gens
les années	ces travaux	les habitants	la ville
notre affaire	nos livres	le monde	les femmes

⑦ **Dans la série *b*, tout est *invariable*. Il est placé devant quelle sorte de mot ?**

Remarque : tout est ici adverbe. Il peut se remplacer par **tout à fait**.

⑧ **Remplacez les points par la forme de *tout* qui convient en précisant s'il est devant un *nom* ou devant un *adjectif*.**

... nos amis étaient là - Ils étaient ... étonnés de la nouvelle - Si ... les jeunes filles viennent nous aurons la classe ... entière - Les garçons sont ... trempés - Il sortait ... les matins à la même heure - De ... côtés s'étendait la mer - La voiture roulait à ... allure - ... les archives ont brûlé - Nous travaillons ... les deux - Ils étaient ... heureux de nous voir.

⑨ **Observez ces phrases :**
   c - Une jeune fille *toute* triste, des jeunes filles *toutes* tristes.
   d - Une personne *toute* honteuse, des personnes *toutes* honteuses.

Attention ! Comme dans les phrases de la série *b* tout se rapporte à un adjectif et devrait être invariable. L'usage veut qu'il varie cependant devant un adjectif *féminin* commençant par *une consonne* ou un *h* aspiré. Est-ce bien le cas en *c* et en *d* ?

⑩ **Dans les phrases suivantes *tout* se rapporte à un adjectif. Justifiez l'accord ou le non accord.**

La fillette tout émerveillée observait le paysage - La fillette semblait toute déçue - Ils furent tout surpris de nous voir - Les rayons étaient tout pleins - Les boîtes étaient toutes pleines d'objets divers - Elles étaient toutes handicapées.

⑪ **Remplacez les points par la forme de *tout* qui convient.**

Les portes étaient ouvertes ... grandes - Elle semblait ... heureuse - Ces filles étaient ... jeunes - Il observait avec des yeux ... naïfs - Ses chaussures étaient ... neuves - Sa figure était ... hâlée par le soleil - Ils paraissait ... occupés par leurs travaux - Elles furent ... surprises à cette nouvelle.

---

3 BILAN RÉCAPITULATIF

FICHE 24	L'ACCORD DE **TOUT**

- *Si **tout** se rapporte à **un nom*** il est **adjectif** et s'accorde.

    Exemples : ***tout** le jour, **tous** les jours ; **toute** la nuit, **toutes** les nuits.*

- Si ***tout** se rapporte à **un adjectif*** il est ***adverbe*** et donc invariable.

    Il a le sens de « tout à fait », « complètement ».

    Exemples : *Ils sont **tout** contents ; elle est **tout** étonnée.*

    Mais ***tout*** est *variable* devant un adjectif *féminin* commençant par une consonne ou un *h* aspiré.

    Exemples : *Elle est **toute** contente   ; elle est **toute** honteuse.*
    *Elle sont **toutes** contentes ; elles sont **toutes** honteuses.*

---

⑫ **Synthèse. Même et tout :**

— **Imaginez 4 phrases avec « même » (sans *s*) et 4 phrases avec « mêmes » (avec *s*).**

— **Imaginez 4 phrases avec « tout » variable (tous, toute, toutes) et 4 phrases avec « tout » invariable.**

Exercices d'application

— Séance 11 : exercices ⑥, ⑧, ⑩ et ⑪, pages 52-53.
— Séance 16 : exercices ② et ③, page 63.

Séances 12 à 15 - CONFUSIONS HOMONYMIQUES DIVERSES

Les fiches suivantes examinent quelques difficultés orthographiques élémentaires et vous proposent des moyens pratiques pour éviter les fautes. *Consultez-les selon vos besoins* et exercez-vous à résoudre *les difficultés qui sont les vôtres* (exercices p. 61 et 62).

FICHE 25	MON OU M'ONT ? TON OU T'ONT ?	
Exemples	*Remplacez par :*	
— **Mon** stylo	le mien	mon, ton, son stylo
— Ils **m'ont** frappé	Ils m'*avaient* frappé	verbe *avoir* : ils ont ...
— **Ton** village	le tien	mon, ton, son village
— Ils **t'ont** vu	Ils t'*avaient* vu	verbe *avoir* : ils ont ...

FICHE 26	MA OU M'A ? TA OU T'A ?	
Exemples	*Remplacez par :*	
— **Ma** maison	la mienne	ma, ta, sa maison
— Il **m'a** dit	Il m'*avait* dit	verbe *avoir* : il a ...
— **Ta** maison	la tienne	ma, ta, sa maison
— Il **t'a** reconnu	Il t'*avait* reconnu	verbe *avoir* : il a ...

FICHE 27	TES, T'ES, T'EST, T'AI ?	
Exemples	*Remplacez par :*	
— *Voici **tes** amis*	les tiens	mes, tes, ses amis
— *Tu **t'es** trompé*	tu t'*étais* trompé	*Être* trompé (tu *es*)
— *Jean **t'est** dévoué*	il t'*était* dévoué	*Être* dévoué (il *est*)
— *Je **t'ai** dit que non*	je t'*avais* dit	*Avoir* dit (j'*ai*)

FICHE 28 | MES, MAIS, MET (METS) ?

Exemples	Remplacez par :	
— *Ce sont **mes** outils*	les miens	*mes, tes, ses* outils
— *Il est maigre **mais** robuste*	et pourtant	*mais* = conjonction de coordination
— *Je **mets** une cravate*	je mettais ⎫	
— *Tu **mets** une cravate*	tu mettais ⎬	verbe *mettre*
— *Il **met** une cravate*	il mettait ⎭	

FICHE 29 | LES, L'ES, L'EST, L'AI ?

Exemples	Remplacez par :	
— *Voici **les** journaux*	*le* journal (ou = *la*)	le, la, les
— *Tu **les** prends*	*le* prends	le, la, les
— *Premier, tu **l'es** enfin*	tu l'étais	verbe *être* : tu *es*
— *Premier, il **l'est** enfin*	il l'était	verbe *être* : il *est*
— *Je **l'ai** vu*	je l'avais	verbe *avoir* : j'*ai*

FICHE 30 | LA, LÀ, L'A, L'AS ?

Exemples	Remplacez par :	
— ***La** nuit tombe*	*le* ou *les*	*la* = article (le, la, les...)
— *Ce jour-**là***	Ce jour-*ci*	*là* : adverbe de lieu
— *Il s'arrêta **là***	Il s'arrêta *ici*	
— *Il **l'a** vu*	Il l'avait vu	*avoir* vu : il *a* vu
— *Tu **l'as** vu*	Tu l'avais vu	*avoir* vu : tu *as* vu

FICHE 31 | SANS, S'EN, CENT ?

Exemples	Remplacez par :	
— *Je sors **sans** parapluie*	sans aucun...	*sans* = préposition
— *Il **s'en** moque*	Je *m'en* moque ⟶	*s'en* = se + en
— *La bateau quitte la côte. Il **s'en** éloigne*	Je *m'en* éloigne	(fait partie d'un verbe pronominal et peut se conjuguer : je m'en ...,
— *Voici **cent** francs*	Cinquante, dix...	tu t'en ..., il s'en ...)

FICHE 32	DANS, D'EN ?

Exemples	Remplacez par :	
— *Il est **dans** son bureau* ⟶	à l'intérieur de	*dans* = préposition
— *Il vient **d'en** sortir* ⟶	séparez mentalement :	*d'en* = de + en (devant
— *Il nous regarde **d'en** haut*	de - en sortir	un verbe à l'infinitif ou
	de - en haut	dans les expressions :
		d'en haut, d'en bas...)

FICHE 33	QUAND, QUANT, QU'EN ?

Exemples	Remplacez par :
— ***Quand** viendrez-vous ?*	A quel moment
— *Il entrait **quand** je sortais*	Lorsque
— ***Quant** à moi, je me tais* ⟶	En ce qui concerne (« quant » avec un
— ***Quant** à lui, il écoutait*	*t* est toujours suivi de *a*, *au* ou *aux*)
— ***Qu'en** dites-vous ?* ⟶	Séparez mentalement *que* + *en* :
	Exemple : *que* dites-vous de *« en »*?
	(en = cela)
— *Il ne voyage **qu'en** train*	*que* dans le train

FICHE 34	TANT, T'EN, TEMPS ?

Exemples	Remplacez par :	
— *Il a **tant** d'amis que ...*	tellement	*tant* = adverbe
— ***Tant** que je vivrai ...*	aussi longtemps	
— ***Tant** pis, **tant** mieux*		
— *Des nouvelles ? Il **t'en** apporte* ⟶	séparez mentalement *te* + *en*	
	Exemple : Il *t'*apporte de *« en »*	
	(en = des nouvelles)	
— *Nous **t'en** donnerons* ⟶	remplacez par *m'en* (il m'en ..., il nous en ...)	
— *Le mauvais **temps***	climat,	
— *Il est **temps** de partir*	moment ...	*temps* = nom

FICHE 35	DONT, DONC ?

Exemples	Remplacez par :	
— L'ami **dont** je vous parle	duquel de qui	**dont** = pronom relatif
— J'ai faim, **donc** je mange	par conséquent	**donc** = conjonction
— Qu'as-tu **donc** ?	(«donc» est ici un simple mot de renforcement sans signification précise)	
— Viens **donc**		

FICHE 36	OR, HORS ?

Exemples	Remplacez par :	
— Il est **hors** de danger **hors** de portée	à l'écart de loin de	**hors** = préposition (même famile que «dehors»,
— Je vis **hors** de chez moi	en dehors de	«en dehors»)
— J'attendais une lettre, **or** je n'ai rien reçu	et, mais	**or** = conjonction (marque la liaison d'une idée à une autre)

FICHE 37	DAVANTAGE, D'AVANTAGE ?

Exemples	Remplacez par :	
— Il n'y a pas **d'avantage** à agir ainsi	de profit de bénéfice	**d'avantage** (2 mots) = de + le nom «avantage»
— Je n'en sais pas **davantage**	plus	**davantage** (1 mot) = adverbe
— Je l'aime **davantage** que son frère	plus	

FICHE 38	PLUS TÔT, PLUTÔT ?

Exemples	Remplacez par :	
— Venez **plus tôt** qu'hier	→ plus tard (sens contraire)	*plus tôt* (2 mots) est l'opposé de «plus tard»
— Prêtez-moi **plutôt** ce livre	→ de préférence	*plutôt* (1 mot)
— **Plutôt** souffrir que mourir	mieux vaut	= adverbe

FICHE 39	CE, CET, CETTE ?

Exemples

— **Ce** fruit, **ce** matin ⟶ *Ce* devant un nom masculin commençant par une consonne

— **Cet** arbre, **cet** homme ⟶ *Cet* devant un nom masculin commençant par une voyelle ou un *h* muet

— **Cette** plante, **cette** femme ⟶ *Cette* devant un nom féminin

Les adjectifs démonstratifs *ce, cet, cette* font au pluriel **ces**

FICHE 40	SI OU S'Y ?

• S'y

    Exemples : *Il voit le trou et **s'y** cache* (= *se* cache **là**)
              *Il aime ce travail et **s'y** consacre* (= *se* consacre **à cela**)

Comment éviter la confusion avec *si* ? S'y (se + y) fait partie d'un verbe pronominal (se cacher, se consacrer). *On peut conjuguer :*

                  Je **m'y** cache   (y = là)
                  tu **t'y** consacres   (y = à cela)
      On voit que *s'y peut se remplacer par m'y et t'y*

• Si s'écrit S-I dans tous les autres cas.

    Exemples : *Si tu sors, prends un foulard.*   Mais : *ci et là*
           *Il est **si** heureux !*   *ce jour-**ci***

FICHE 41	NI OU N'Y ?

• N'y s'écrit **N'Y** devant un verbe à la forme négative quand *on peut séparer mentalement **NE** et **Y*** en construisant autrement.

Exemples : *Je n'y vais pas* = Je *ne* vais pas *là*   (y = là)
           Je n'y crois pas = Je *ne* crois pas *à cela* (y = à cela)
- **Ni** s'écrit N-I dans tous les autres cas. C'est un élément de la négation.
Exemples : *Je n'aime pas le vent **ni** la pluie - Ce n'est **ni** blanc **ni** noir*

| **FICHE 42** | **PEU, PEUX** OU **PEUT** ? |

Exemples   *Remplacez par :*

- *Il but un **peu** de vin*   une petite quantité   *peu* = adverbe
- *Il mangea **peu***   pas beaucoup
- *Peu à peu*   petit à petit

- *Je **peux***   je pouvais   ⎱
  vous expliquer
- *Tu **peux***   tu pouvais   ⎰   verbe *pouvoir*
- *Il **peut***   il pouvait   ⎰

| **FICHE 43** | **PRÊT** OU **PRÈS** ? |

Exemples   *Comment ne pas confondre :*

- *Il est **prêt** pour le départ*   on peut mettre au féminin :
- *Tout est **prêt***   Elle est *prête* pour le départ
- *Nous sommes **prêts***   *prêt* = adj. qualificatif *(variable)*

- *Il s'arrêta **près** de la porte*   on ne peut pas mettre au féminin
- *Il était **près** de la retraite*   on peut remplacer par « à côté de »
- *à peu près, de près,*   *près* = adverbe *(invariable)*
être à un franc près

| **FICHE 44** | **QU'IL** OU **QUI L'** ? |

Exemples   *Comment ne pas confondre :*

- *L'homme **qu'il** a vu* ⟶   L'homme que Jacques a vu
- *L'homme **qui l'**a vu* ⟶   L'homme qui a vu Jacques
- *L'ami **qu'il** attend* ⟶   L'ami que Jacques attend
- *L'ami **qui l'**attend* ⟶   L'ami qui attend Jacques

► On voit qu'il suffit de tourner la phrase autrement.

FICHE 45 | QUELQUE, QUELQUES OU QUEL QUE ?

Exemples

1 **«Quelque»** s'écrit au singulier quand il a le sens de : $\left\{\begin{array}{l} \text{— un certain} \\ \text{— environ} \\ \text{— aussi} \end{array}\right.$

— *Il a **quelque** argent* ⟶ un certain, un peu
— *Il y a **quelque*** ⟶ environ
cent ans
— ***Quelque** fort que tu* ⟶ aussi (devant verbe au subjonctif)
paraisses, je te vaincrai

2 **«Quelques»** s'écrit au pluriel quand il a le sens de : $\left\{\begin{array}{l} \text{— plusieurs} \\ \text{— malgré + nom} \\ \text{au pluriel} \end{array}\right.$

— *J'ai réuni **quelques** amis* ⟶ plusieurs
— ***Quelques** efforts* ⟶ malgré (les efforts qu'il pourrait faire)
qu'il fasse, il est perdu (devant verbe au subjonctif)

3 **« Quel que »** s'écrit en deux mots quand il a le sens de : aussi grand que

— ***Quel** que soit son courage* ⎫ aussi grand que
⎪ (devant le verbe **être** au subjonctif)
— ***Quelle** que soit sa patience* ⎬
⎪ *A noter :* **quel** s'accorde avec le sujet
— ***Quels** que soient ses problèmes* ⎭

FICHE 46 | QU'ELLE OU QUEL(S), QUELLE(S) ?

Exemples   *Comment ne pas confondre :*

— ***Qu'elle** est belle !* ⟶ *Qu'il est beau !* ⎫
— ***Qu'elles** m'ennuient !* ⟶ *Qu'ils m'ennuient !* ⎬ *que = combien*
— *Les fleurs **qu'elle*** ⟶ *...qu'il a cueillies* ⟶ *= que je, que tu,*
a cueillies   *qu'elle*

► **Qu'elle** *s'écrit en deux mots lorsqu'on peut remplacer par* **qu'il** *en mettant au masculin. Sinon il s'écrit en un mot.*

— **Quel** *jour* sommes-nous ? ⎫
— **Quels** sont ces *hommes* ? ⎪ L'adjectif *quel* s'accorde en genre et en
— **Quelle** était sa *fonction* ? ⎬ nombre avec le nom auquel il se rapporte.
— **Quelles** étaient ses *fonc-* ⎪
tions ? ⎭

EXERCICES

(1) Remplacez les points par :

a. *mon* ou *m'ont, ton* ou *t'ont* :

Ils ... pris ... chapeau - Dès qu'ils ... aperçu sans ... chien ils ... poursuivi.

b. *ma* ou *m'a, ta* ou *t'a* :

Il ... dit que ... voiture était en panne - Il ... averti de ... prochaine nomination.

c. *tes, t'es, t'est, t'ai* :

Prends ... outils - Je ... vu avec ... camarades - Tu ... trompé - S'il ... possible de rejoindre ... collègues, pars aussitôt - C'est moi qui ... appelé car je crois que tu ... égaré.

d. *mes, mais* ou verbe *mettre* (**met, mets**) :

... amis m'accompagnent ... ils s'en iront de bonne heure - ... de l'eau dans ton vin - Je ... tout au point.

e. *les, l'es, l'est, l'ai* :

Je ... vu ce matin vers ... dix heures - Paresseux il ... devenu peu à peu comme tu ... toi-même.

f. *la, là, l'a, l'as* :

Dis-moi si tu ... vu - ... porte est close ; il ... fermée à clé - C'est ... que j'habite.

(2) Conjuguez au présent de l'indicatif :

s'en aller, s'en moquer, s'en méfier

(3) Remplacez les points par :

a. *dans* ou *d'en* :

Des cerises, je viens ... cueillir - Il est nécessaire ... finir avec cette histoire - ... quelle région habitez-vous ?

b. *quand, qu'en* ou *quant* :

... à moi, je m'en tiens aux consignes - ... viendrez-vous nous voir ? - ... pensez-vous ? - ... aux voisins - ... disent-ils ?

c. *tant, t'en, temps* :

Je ... prie, ne perds pas ton ... - Nous ne ... demandons pas ... - ... va la cruche à l'eau qu'à la fin elle se casse - Il a ... de raisons de ... vouloir qu'il est ... de t'excuser auprès de lui.

d. *dont, donc* :

Allez ... voir où ils en sont ! - Voici le livre ... je vous ai parlé - Il pleut ... il faut prendre un parapluie - C'est la seule chose ... je sois sûr.

e. *or, hors* :

Nous sommes ... d'atteinte - Il habite ... de la ville - Reprenez des ... d'œuvre - Je suis seul, ... je n'aime pas la solitude.

④ Remplacez *les mots soulignés* par *davantage* ou *d'avantage* :

Je n'ai pas trouvé *de profit* à agir ainsi - Il pleut *plus* que l'an dernier - J'aime *mieux* la musique moderne que la musique classique - Je crois *plus* à la douceur qu'à la violence - Ne prenez pas *plus* de risques.

⑤ Placez devant chacun des noms suivants *ce, cet* ou *cette* :

placard	œillet	énergumène	paysage	artiste	usine
armoire	rose	astuce	étoile	étranger	usage

⑥ Remplacez les points par :

a. *plutôt* ou *plus tôt* :

Il paraît ... triste - Nous sommes partis ... que prévu - Essayez de revenir ... que la semaine dernière - Cette note est ... encourageante - Allons ... nous promener.

b. *si* ou *s'y* :

Il rêve des vacances et ... croit déjà - Il faut ... faire - Il a eu ... peur qu'il en est blème - Les calculs sont difficiles ; Jacques ... perd - Nous irons ... vous le voulez.

c. *ni* ou *n'y* :

Il ... comprend rien et ... veut rien comprendre - ... vous ... moi ... pouvons rien - S'ils ... vont pas, j'irai - Je ne prendrai pas ce train, ... celui-là - Ils ... croient pas.

d. *peu, peux, peut* :

Si je ... j'irai vous voir mais c'est ... probable - Viens quand tu ... - C'est à ... près juste - Il s'en est fallu de ... - Il fait ce qu'il ...

e. *prêt* ou *près* :

Si tu es ... viens avec nous - Il est ... de minuit - Nous sommes ... à vous suivre - Ils habitent ... de chez moi - J'ai à peu ... compris - Reculez, vous êtes trop ... - Tout est ..., nous pouvons commencer - Voilà ... de dix ans que je ne vous avais pas vu.

⑦ Accordez comme il convient :

(quel) sont vos préférences ? - (quel) beaux paysages ! - Pour (quel) raison vous êtes-vous absenté ? - Je ne sais plus (quel) étaient ses fonctions - A (quel) heure viendrez-vous ? - De (quel) région êtes-vous ? - A (quel) amis pensez-vous ?

⑧ Remplacez les points par *qu'elle(s)* ou *quel* (en accordant) :

Voici le chemin ... a pris - ... temps merveilleux ! - Par ... route êtes-vous arrivé ? - Il faut ... bavarde moins si elle veut réussir - ... sont pénibles, ces deux chiennes ! - A ... hôtel êtes-vous descendu ? - De ... côté allez-vous ? - Appelez Lucie et dites-lui ... vienne me voir.

Séance 16 - RÉVISION 3

1ʳᵉ série. Revoir : *fiches 21 à 24.*

① **Mettez un s à *même* quand c'est nécessaire :**
Je sors avec les même amis qu'hier - Même nos chiens sont énervés - Nous achèverons ces travaux nous-même - Ces archives ne sont même pas complètes - Il a les même habitudes que son père - Nos ennemis même nous rendent justice - Ils viendront eux-même régler ce problème - Même ces fleurs sont fanées - Ce sont les paroles même de l'orateur.

② **Placez *tout* à la forme qui convient devant les groupes suivants :**

nos outils	le monde	la ville	les habitants
nos manies	les hommes	les villes	les femmes

③ **Remplacez les points par *tout* à la forme qui convient :**
On riait de ... côtés - Ils sont ... heureux de cette nouvelle - Les voilà ... surpris - Votre sœur paraît ... heureuse - Ils sont ... ennuyés - Elles furent ... joyeuses à cette nouvelle - Elle est ... étonnée.

④ **Transformez ces phrases affirmatives en phrases négatives :**

Exemple : *On en veut ⟶ On n'en veut pas*
On a attendu - On arrivera en retard - On a raison d'attendre - On est étonné par cette nouvelle - On a terminé - On accepte.

⑤ **Remplacez les points par *leur* ou *leurs* :**
Vous le ... avez dit - Ils ont perdu ... illusions - Je ... ai emprunté ... livres - Je crois qu'il ... faudra attendre - ... espoirs seront déçus - ... chats ... ont abîmé ... rideaux - ... coiffures ne ... vont pas.

2ᵉ série. Revoir : *fiches 25 à 30.*

⑥ **Remplacez les points par *mon, ton, ma, ta* ou *m'a, t'a, m'ont, t'ont* :**
Voici ... passeport - Ils ... obligé à les suivre malgré ... refus - Il ... retrouvé grâce à ... chienne - S'ils ... menti nous le saurons - Il ... vu dans ... jardin - Il ... dit que ... copie était bonne.

⑦ **Remplacez les points par *mes, mais, met* ou *mets* :**
Je ... un costume neuf pour aller avec ... amis - Il ... beaucoup de bonne volonté ... il ne va pas vite - ... tes chaussures et suis-moi - Où sont ... espadrilles ?

⑧ **Remplacez les points par *les, l'es, l'est, l'ai* :**
Je ... rencontré dans ... bois - Rusé, je ne sais pas si André ... ou non

mais toi tu ... certainement - Clochard, il ... devenu peu à peu, par sa paresse.

⑨ **Remplacez les points par** *la, là, l'a, l'as* :
Je cherche Henri ; dis-moi si tu ... vu, ici ou ... - ... voiture est au garage ; il ... nettoyée - Comment ... tu appris ?

3ᵉ série. Revoir : *fiches 31 à 38.*

⑩ **Trouvez dans chaque phrase un mot de même prononciation que le mot souligné mais d'orthographe différente.**
Il *s'en* va ... son parapluie - Le bateau ... éloigne *sans* difficulté - Il était *dans* la pièce mais il vient ... sortir - *Quant* à lui, il sortait ... vous entriez - *Quant* à vous ... dites-vous ? - ... à nous si nous voyageons ce n'est *qu'en* train - ... que j'en aurai, je *t'en* donnerai - ... pis s'il fait mauvais *temps* ! - Je ... apporte *tant* que tu voudras.

⑪ **Même exercice :**
Viens *donc* voir celui ... je t'ai parlé - Un philosophe *dont* le nom vous est connu a écrit « Je pense ... je suis » - Il est ... d'haleine, *or* il n'a pas couru - Le froid commence *plus tôt* cette année ; je trouve ceci ... inquiétant - Il n'y a pas *d'avantage* a procéder ainsi car vous ne gagnerez pas ... .

4ᵉ série. Revoir : *fiches 39 à 46.*

⑫ **Mettez** *ce, cet* **ou** *cette* **à la place de l'article devant chacun des noms suivants :**

un chien	un homme	une escapade	un honneur
un arbre	une femme	une histoire	un chef
une source	un éclair	un élan	l'orgueil

⑬ **Remplacez les points par :**
— *si* **ou** *s'y* : Il faut ... prendre autrement ... l'on veut s'en sortir - Il ... rendra ... nous le voulons - ... le fuyard trouve une cachette, il ... réfugiera.
— *ni* **ou** *n'y* : Il ... avait pas pensé - Il n'est ... grand ... gros - ... touchez pas - Je ... assisterai pas - ... toi ... moi ... pouvons rien - Je ... crois pas.
— *peu, peux* **ou** *peut* : Il lui en faut ... pour être content - Il n'y ... rien - Viens si tu ... - ... à ... nous atteindrons notre but - Je l'ai rencontré voici ... - Il ... vivre de ... .
— *prêt* **ou** *près* : Le voici ... à partir - La vieille était assise toute la journée ... de la fenêtre - Tout est à peu ... tranquille - Nous sommes ... pour l'escalade.

— *quelque, quelques* ou *quel que* (en accordant « quel ») : Cette tour a bien ... trente mètres de haut - Je vous présente ... amis - ... grand que tu sois, tu n'attraperas pas ces cerises - ... efforts qu'il fasse, il échouera - ... soient ses qualités il ne parviendra pas à son but - Il ne viendra pas ... soit le temps.

— *quel(s), quelle(s)* ou *qu'elle* : ... magnifique journée ! -... sont ces fleurs ? - ... a l'air triste, cette jeune femme ! - Dites-moi ... sont ses attributions -Voici les champignons ... a ramassés.

(14) **Proposez une dizaine de noms devant lesquels vous pouvez employer « cet ».**

Exemple : *Cet éléphant*

(15) **Imaginez de courtes phrases où vous emploierez :** *si, s'y - ni, n'y - prêt, près.*

(16) **Achevez librement les phrases suivantes:**
Cette montagne a bien quelque ... - Quelque malin qu'il soit ... - Quelles que soient ... - Quels que soient ... - Quelle que soit ... - Quel que soit ... .

Séance 17 - LE FÉMININ DES NOMS

☐ **Test personnel** *(au brouillon)*

Donnez le féminin des noms suivants : un Suisse, un gardien, un duc, un pauvre, un captif, un mulâtre, un hôte, un accompagnateur, un receveur, un électeur, le colonel, un Juif, un citoyen

Corrigé

une Suissesse, une gardienne, une duchesse, une pauvresse, une captive, une mulâtresse, une hôtesse, une accompagnatrice, un receveuse, une électrice, la colonelle, une Juive, une citoyenne

► *Si vous avez commis* deux fautes ou plus *cette leçon vous est nécessaire.*

1 OBSERVEZ LES NOMS SUIVANTS ET PRONONCEZ-LES

> *a* - un cousin, une cousine ; un employé, une employée
> *b* - un épicier, une épicière ; le caissier, la caissière
> *c* - un chien, une chienne ; un chat, une chatte
> *d* - un époux, une épouse ; un loup, une louve
> *e* - un comte, une comtesse ; un directeur, une directrice

2 RÉFLÉCHISSEZ ET EXERCEZ-VOUS

① **Dans quelle série suffit-il d'ajouter un *e* au nom masculin pour obtenir le féminin, sans autre transformation ?**
— Écrivez à votre tour le féminin des noms suivants :
un Anglais, un orphelin, un élu, un apprenti, un ami, un lapin, un marchand, un parent

② **Dans la série *b* quelles sont les deux modifications entraînées par le passage au féminin ?**
— Écrivez à votre tour le féminin des noms suivants :
un boucher, un horloger, un berger, un ouvrier, un mercier, un banquier, un fermier, un maraîcher
— **Conclusion : Formulez une petite règle concernant le féminin des noms en *er*.**

③ **Dans la série *c* par quelles modifications passe-t-on du masculin au féminin ?**

chien	chat
chien|ne	chat|te

— **Écrivez le féminin des noms suivants :**

un paysan, un Italien, un Breton, un lycéen, un champion, un gardien, un musicien, un patron, le colonel, le cadet, le sot

④ **Dans la série *d* le nom féminin conserve-t-il la lettre finale du nom masculin ?**

— **Écrivez le féminin des noms suivants :**

un captif, un Juif, un veuf, un religieux, un orgueilleux, un roux, un vieux, un fou, un danseur, un menteur, un promeneur, un dormeur, un voyageur, un receveur

⑤ **Dans la série *e* deux suffixes nouveaux apparaissent au féminin : *esse, trice*. Formez avec l'un ou l'autre de ces suffixes le féminin des noms suivants :**

un bienfaiteur, un triomphateur, un ambassadeur, un correcteur, un moniteur, un explorateur, un accompagnateur, un électeur, un instituteur, un acteur, le docteur, le duc, le prince, le comte, le tigre, un nègre, un Suisse, un hôte, un âne, un mulâtre

⑥ **Écrivez les noms suivants au féminin. Que remarquez-vous ?**

1. un artiste, un peintre, un concierge, un secrétaire, un contribuable, un malade, un élève, un violoniste.

2. un enfant, un professeur, un auteur, un écrivain, un sculpteur

⑦ **Remplacez les points par l'un des homonymes :**

— *le page, la page* : ... du livre ; ... du roi
— *le mousse, la mousse* : ... deviendra marin ; ... des arbres
— *le voile, la voile* : ... du bateau ; ... de la mariée
— *le crêpe, la crêpe* : ... est une sorte de galette ; ... est une étoffe
— *le manche, la manche* : ... d'un outil ; ... du vêtement

⑧ **Trouvez d'autres homonymes dont le sens est fixé par le genre et expliquez leur différence :**

le vase, la vase ; le manœuvre, la manœuvre ; le tour, la tour...

⑨ **Certains noms féminins ne sont pas construits d'après le nom masculin correspondant :**

Exemple : *le coq ———➤ la poule*

Écrivez le féminin des noms suivants :

le gendre, le mari, le cheval, le mâle, le taureau, le parrain, le père, le cerf, le roi

FICHE 47	LE FÉMININ DES NOMS

1. On marque le féminin de certains noms dans l'écriture *en ajoutant un e au masculin.*

  Exemples : *un ami (une amie), un cousin (une cousine)*

2. *Les noms terminés en er font leur féminin en ère*

  Exemple : *le boucher ⟶ la bouchère*

3. *Certains noms doublent la* **consonne finale** *avant de prendre un e :*
  — les noms en **ien** : chien (chienne), citoyen (citoyenne)
  — les noms en **on** : patron (patronne), Breton (Bretonne)
  — d'autres noms : colonel (colonelle), chat (chatte)

4. *Certains noms changent au féminin la consonne finale du masculin.*

  Exemples : *un veuf (une veuve), un époux (une épouse)*

5. *Les noms terminés par* **eur** peuvent, selon le cas, former leur féminin :
  — en **euse**   un vendeur (une vendeuse)
  — en **trice**   un instituteur (une institutrice)
  — en **esse**   un docteur (une doctoresse). Ce dernier cas est plus rare.

6. *Certains noms terminés par* **e** *forment leur pluriel en* **esse**

  Exemples : *le pauvre (la pauvresse), le prince (la princesse)*
également : *le duc (la duchesse)*

FICHE 48	TABLEAU A CONSULTER FRÉQUEMMENT

Ces noms sont masculins
UN

alvéole, air, argent, automne,
alcool, armistice, antidote, épisode,
légume, équilibre, ouvrage, pétale,
tentacule, en-tête, effluve, hospice,
hémisphère, intervalle, indice,
incendie, interstice, éclair,
escompte, haltère, harmonica,
planisphère

Ces noms sont féminins
UNE

autoroute, agrafe, antichambre,
argile, armoire, des arrhes,
atmosphère, H.L.M., épithète,
équivoque, horloge, oasis,
omoplate, orthographe, orbite,
énigme, équerre, artère, paroi,
sentinelle

après-midi
(l'usage admet les deux genres)

Exercices d'application

— Séance 17 : exercices ① à ⑥, pages 66-67.
— Séance 20 : exercices ① et ②, page 77.

⑩ **Synthèse. De mémoire, sans consulter les fiches.**

a - **Placez *un* ou *une* devant les noms suivants :**

équerre, haltère, hospice, atmosphère, incendie, épithète, argile, autoroute, tentacule, pétale.

b - **Proposez 6 noms en *eur* qui forment leur féminin en *trice*.**

c - **Mettez au féminin les noms suivants :**

loup, duc, époux, hôte, sculpteur, veuf, captif.

Séance 18 - LE PLURIEL DES NOMS

☐ **Test personnel** *(au brouillon)*

Mettez au pluriel les noms suivants : un gaz, un vitrail, un rail, un gouvernail, un corail, un festival, un minéral, un cheveu, un pneu, un chacal, un vœu, un tuyau, un voyou, un chou, un fou, un bijou, un étau

Corrigé

des gaz, des vitraux, des rails, des gouvernails, des coraux, des festivals, des miné-raux, des cheveux, des pneus, des chacals, des vœux, des tuyaux, des voyous, des choux, des fous, des bijoux, des étaux

► *Si vous avez commis* deux fautes ou plus *cette leçon vous est nécessaire.*

1 OBSERVEZ LES NOMS SUIVANTS

a -	un récit, des récits - une chaise, des chaises		
b -	une croix, des croix - un gaz, des gaz - le bois, les bois		
c -	un journal, des journaux	*mais*	un chacal, des chacals
	un cheval, des chevaux		un bal, des bals
d -	un portail, des portails	*mais*	un vitrail, des vitraux
	un rail, des rails		un travail, des travaux
e -	un râteau, des râteaux	—	un manteau, des manteaux
f -	un cheveu, des cheveux	*mais*	un pneu, des pneus
	un jeu, des jeux		un bleu, des bleus
g -	un voyou, des voyous	*mais*	un bijou, des bijoux
	un sou, des sous		un genou, des genoux

2 RÉFLÉCHISSEZ ET EXERCEZ-VOUS

① *Série a.* Comment se forme le plus souvent le pluriel des noms ?

② *Série b.* Par quelles lettres sont terminés les noms singuliers qui ne chan-gent pas au pluriel ?

Ajoutez l'une de ces lettres pour former d'autres noms invariables :
la voi..., le ne..., le sile..., le pri..., la noi..., le choi..., l'our..., le ta...

③ *Série c.* Les noms au singulier ont, dans cette série, quelle terminaison commune ?

Mettez au pluriel les noms suivants et classez-les en deux catégories selon que le pluriel est en *s* ou en *x* :

carnaval, festival, hôpital, idéal, récital, cristal, régal, étal, canal, animal, amiral, général, minéral, local, bocal.

④ *Série d.* **Quelle est la terminaison commune de tous les noms de la série au singulier ?**

Mettez les noms suivants au pluriel et classez-les selon leur terminaison en deux catégories :

un émail, un chandail, un soupirail, un portail, un bail, un éventail, un vantail, un vitrail, un gouvernail, un corail

⑤ *Série e.* **Proposez une dizaine de noms terminés par *eau* comme « râteau ». Mettez-les au pluriel :**

Exemple : *des châteaux, des bateaux...*
Que constatez-vous ?

⑥ *Série f.* **Mettez au pluriel les noms suivants terminés par *eu* ou par *au* et classez-les en deux catégories selon qu'ils prennent un *s* ou un *x* :**

un aveu, un étau, un boyau, un essieu, un vœu, un adieu, un lieu, un préau, un landau, un pieu, un pneu, un bleu, un joyau, le milieu

⑦ *Série g.* **Mettez au pluriel les noms en *ou* suivants et classez-les en deux catégories selon leur terminaison :**

le clou, le fou, le verrou, le sou, l'écrou, le hibou, le bijou, le chou, le genou, le voyou, le caillou, le trou, le pou, le joujou

⑧ *Synthèse.* **Écrivez les noms suivants au singulier :**

les oiseaux	les hiboux	les prix	les bureaux
les souris	les landaus	les fous	les pas
les quintaux	les coraux	les voix	les émaux
les croix	les noix	les silex	les canaux

⑨ *Synthèse.* **Écrivez les noms suivants au pluriel :**

le choix	la banlieue	le bijou	le festival
l'émail	le poireau	le sou	le chacal
l'étau	le corbeau	le pneu	le journal
le bureau	le verrou	le rival	le bleu
le travail	le chandail	l'apprenti	le cheveu

⑩ **Faites entrer dans de courtes phrases les noms suivants qui ne s'emploient qu'au pluriel (vérifiez leur genre) :**

les décombres	les archives	les agrès	les pourparlers
les obsèques	les arrhes	les préparatifs	les vivres
les ténèbres	les honoraires	les environs	les mœurs
les condoléances	les appointements	les frais	

FICHE 49	LE PLURIEL DES NOMS

- *En règle générale, on forme le pluriel des noms en ajoutant* **S** *au singulier.*
  Exemple : *un homme, des hommes*
- Les noms terminés par **s**, **x** ou **z** ne changent pas au pluriel.
  Exemples : *un nez (des nez), un gaz (des gaz)*

QUELQUES PLURIELS PARTICULIERS

FICHE 50	LES NOMS TERMINÉS PAR **AL** COMME **JOURNAL**

- *Forment leur pluriel en **aux*** : un journal, des journ**aux**
  un cheval, des chev**aux**
- *Exceptions :* Les noms suivants forment normalement leur pluriel en **s** : **bal, carnaval, chacal, étal, festival, régal, récital.**
  Exemple : *un bal, des bals*

FICHE 51	LES NOMS TERMINÉS PAR **AIL** COMME **PORTAIL**

- *Forment leur pluriel en **s*** : le portail, les portail**s**
  un rail, des rail**s**
- *Exceptions :* Les noms suivants forment normalement leur pluriel en **aux** : **bail, corail, émail, soupirail, travail, vantail, vitrail.**
  Exemple : *le bail, les baux*

FICHE 52	LES NOMS TERMINÉS PAR **EAU** COMME **MANTEAU**

*Forment tous leur pluriel en **x***
Exemples : *le manteau, les manteaux - le marteau, les marteaux*
  le bateau, les bateaux

FICHE 53	LES NOMS TERMINÉS PAR **EU** OU **AU**

- *Forment leur pluriel en x* : un cheveu, des cheveux
  un vœu, des vœux
  un tuyau, des tuyaux

- *Exceptions :* **pneu** (des pneus), **bleu** (des bleus), **landau** (des landaus)

FICHE 54	LES NOMS TERMINÉS PAR **OU** COMME **SOU**

- Forment leur pluriel en **s** : un sou, des sous
  un fou, des fous
  un voyou, des voyous

- *Exceptions :* Les noms suivants forment leur pluriel en **x** : **bijou, caillou, chou, genou, hibou, joujou, pou.**

  Exemple : *un bijou, des bijoux*

Exercices d'application

— Fiche 50 : exercice ③, page 70.
— Fiche 51 : exercice ④, page 71.
— Fiche 52 : exercice ⑤, page 71.
— Fiche 53 : exercice ⑥, page 71.
— Fiche 54 : exercice ⑦, page 71.
— Pour l'ensemble des fiches : exercices ⑧ , ⑨ et ⑩, page 71, ③, page 77.

FICHE 55	LE PLURIEL DES NOMS PROPRES

- *Les noms propres **ne prennent pas la marque du pluriel** lorsqu'ils désignent les individus qui les portent.*

> Exemples : *Les Durand sont partis en voyage*
> *Les Martin et les Dupont sont nombreux en France*

- *Les noms propres **prennent la marque du pluriel** dans trois cas :*
  1) Lorsqu'ils désignent des peuples ou des réalités géographiques.

> Exemples : *les Allemands, les Bretons, les deux Amériques*

  2) Lorsqu'ils désignent des familles illustres ou des dynasties.

> Exemples : *les Bourbons, les Condés, les Capétiens*

  3) Lorsqu'ils désignent les œuvres d'un artiste.

> Exemple : *Ce musée possède des Renoirs et des Picassos*

Exercices ①, page 75 et ④, page 77.

FICHE 56	LE PLURIEL DES NOMS COMPOSÉS [1]

- *Les noms composés qui s'écrivent **en un seul mot** prennent la marque du pluriel comme les noms ordinaires.*

> Exemples : *le portefeuille, les portefeuilles*
> *le portemanteau, les portemanteaux*

- **Exceptions :**

un bonhomme	un gentilhomme	monsieur	madame
des bonshommes	des gentilshommes	messieurs	mesdames
			mademoiselle
			mesdemoiselles

FICHE 57	LE PLURIEL DES NOMS COMPOSÉS [2]

- *Les noms composés dont le premier élément comporte à la finale la voyelle o, ne prennent la marque du pluriel qu'à la fin du second élément.*

> Exemples : *les Anglo-Saxons, les électro-aimants*
> *les Gallo-Romains*

Comment se forme le pluriel quand le nom composé est constitué de *deux ou de plusieurs mots ?*

● *1re remarque :* <u>*Seuls les* **noms** *et les* **adjectifs** *peuvent prendre la marque du pluriel.*</u> Les autres mots restent toujours *invariables.*

Exemples : *un chou-fleur* (2 noms)   *des choux-fleurs*
          un cure-dent (1 verbe + 1 nom) *des cure-dents*

● *2e remarque :* <u>*Les noms et les adjectifs ne prennent la marque du pluriel que si le sens l'exige.*</u> Il faut *développer* mentalement l'expression.

Exemples : *des timbres-poste = des timbres pour la poste*
         des pommes de terre = des pommes qui poussent dans la terre
         des chasse-neige = . qui chassent la neige

● *3e remarque :* <u>*Mais le raisonnement ne suffit pas toujours*</u> et il faut s'habituer à l'orthographe des noms composés suivants :

un compte-gouttes	des laissez-passer	des abat-jour
un porte-clés	des arcs-en-ciel	des ayants droit
un porte-lettres	des tête-à-tête	des essuie-glace
un casse-noisettes	des passe-partout	des volte-face
un presse-papiers	des cerfs-volants	des pur-sang
des sous-sols	des haut-parleurs	des pince-sans-rire
des grille-pain	des chefs-d'œuvre	des porte-monnaie
des faire-part	des après-midi	des cache-pot

► des gardes-malades
    des gardes-barrières   ⟶   garde = un nom (gardien)

Mais : des garde-manger
      des garde-fous   ⟶   garde = un verbe (qui garde)

EXERCICES

① **Mettez l'*s* du pluriel quand il est nécessaire :**
Voici les (Martin) qui partent en voyage - Ce match met aux prises les (Allemand) et les (Américain) - Nous sommes trois (Berthier) dans la section - Les (Mérovingien) furent les premiers rois de France - Les (Goncourt) ont créé un prix littéraire - Les (Breton) et les (Alsacien) habitent des provinces frontalières - Nous avons vu en Italie beaucoup de (Raphaël) et de (Tintoret) - Les (Durand) sont des amis sympathiques - Les (Bonaparte) sont d'origine corse - Les (Romain) ont conquis la Gaule

② **Mettez au pluriel les noms composés suivants :**
un portefeuille, un bonhomme, un anglo-saxon, un portemanteau, un électro-aimant, un kilowattheure (ou : kilowatt-heure) (*), un gentilhomme, une broncho-pneumonie, un turbo-alternateur, mademoiselle

(*) Dictionnaires *Robert* : un seul mot. Dictionnaires *Larousse* : deux mots.

③ **Écrivez au pluriel les noms composés suivants :**

un tire-bouchon, un oiseau-mouche, un chou-fleur, un wagon-restaurant, un garde-manger, un cerf-volant, un sourd-muet, un passe-partout, un haut-parleur, un grille-pain, un après-midi, un cache-pot, un porte-monnaie, un timbre-poste, un chasse-neige, une pomme de terre, un décret-loi, un gardien-chef, un chef-lieu, une sage-femme, un arc-en-ciel, un laissez-passer, un garde-malade, un hors-d'œuvre, un contre-ordre, un pot à eau, un essuie-main, un compte-gouttes

④ **Cherchez tous les noms composés qu'il est possible de former avec les verbes suivants et écrivez-les au singulier et au pluriel :**

porter, garder, casser, passer, chasser.

⑤ **Cherchez des noms composés qui comportent l'élément « contre » et écrivez-les au singulier et au pluriel.**

Exemple : *un contre-ordre*
des contre-ordres

Séance 20 - RÉVISION 4
LE FÉMININ ET LE PLURIEL DES NOMS

① Écrivez le féminin des noms suivants :

► Revoir : *fiche 47*

un apprenti, un élu, un époux, un veuf, un chien, un champion, un colonel, un patron, un gardien, un captif, un vieux, un orgueilleux, un lycéen

un bienfaiteur, un menteur, un ambassadeur, un acteur, un explorateur, un docteur, un directeur

un âne, un Suisse, un tigre, un comte, un prince

② Mettez *un* ou *une* devant les noms suivants :

► Revoir : *fiche 48*

horloge, intervalle, incendie, légume, autoroute, argile, équilibre, alcool, sentinelle, haltère, équerre, équivoque, atmosphère, épithète, escompte, épisode, armoire, armistice, automne

③ Mettez au pluriel les noms suivants :

► Revoir : *fiches 49 à 54*

la bougie, le silex, le nez, l'hôpital, le carnaval, le minéral, le local, le canal, le festival

un émail, un chandail, un bail, un gouvernail, un vitrail, un râteau, un manteau, un gâteau

un clou, un verrou, un chou, un bijou, un caillou, un cheveu, un pneu, un vœu, un dieu

④ Accordez comme il convient les noms entre parenthèses :

► Revoir : *fiches 55 et 56*

Les (Durand) sont de bons voisins - Les (Italien) et les (Espagnol) sont des (Latin) - Nous sommes trois (Dupont) à habiter dans la même rue - Ce musée contient quatre (Picasso) et trois (Monnet) - Louis XIV appartenait à la famille des (Bourbon)

les (portefeuille), les (bonhomme), les (gentilhomme), les (portemanteau)

⑤ Mettez au pluriel les noms composés suivants :

► Revoir : *fiches 57 et 58*

un anglo-saxon, un électro-aimant, un tire-bouchon, un chou-fleur, un cerf-volant, un sourd-muet, un passe-partout, un haut-parleur, une sage-femme, un arc-en-ciel, une pomme de terre, un garde-manger

Séance 21 - LE FÉMININ DES ADJECTIFS QUALIFICATIFS

☐ **Test personnel** *(au brouillon)*

Mettez au féminin les adjectifs suivants : actuel, créateur, enchanteur, printanier, ancien, coquet, secret, complet, fluet, bénin, traître, public, aigu, absous, caduc, désuet, favori, grec

Corrigé

grecque.
rite, fluette, bénigne, traîtresse, publique, aiguë, absoute, caduque, désuète, favo-
actuelle, créatrice, enchanteresse, printanière, ancienne, coquette, secrète, complète,

► *Si vous avez commis* deux fautes ou plus *cette leçon vous est nécessaire.*

1 OBSERVEZ LES MOTS SUIVANTS

a - joli, jolie - grand, grande - fort, forte
b - un soleil pâle, une aube pâle
c - cher ami, chère amie - léger, légère
d - bas, basse - net, nette - actuel, actuelle
e - vif, vive - hâtif, hâtive - précieux, précieuse
f - meilleur, meilleure, trompeur, trompeuse - créateur, créatrice - enchanteur, enchanteresse

2 RÉFLÉCHISSEZ ET EXERCEZ-VOUS

① **Dans la série *a* comment se forme le féminin ? Pourquoi n'y a-t-il pas de modification dans la série *b* ?**

② **Écrivez au féminin les adjectifs entre parenthèses :**
une région (boisé) - une personne (loyal) - une (lourd) masse - une besogne (ardu) - une pièce (sale) - une démarche (difficile) - une (meilleur) récolte - une fille (mineur) - une parole (idiot)

③ **Dans la série *c* quelles sont les deux modifications entraînées par le passage au féminin ?**

78

Mettez à votre tour au féminin ces adjectifs terminés par _er_ :
la (dernier) personne - une (premier) fois - une responsabilité (entier) - une lumière (printanier)
Attention à « printanier » = trois modifications.

④ **Dans la série _d_ quelles sont les deux modifications entraînées par le passage au féminin ?**
Mettez à votre tour au féminin :
une figure (pâlot) - une vue (aérien) une proposition (net) - une (gentil) fillette - une pension (annuel) - une composition (nul) - une galette (breton) - une (ancien) monnaie - une remarque (essentiel)

⑤ _Les adjectifs en_ « et »
— **Observez :**
net (une voix _nette_), secret (une entente _secrète_). Quelles sont les deux façons dont ces adjectifs forment leur féminin ?

— **Mettez au féminin à votre tour les adjectifs suivants et classez-les ensuite en deux catégories :**
complet, discret, fluet, concret, aigrelet, inquiet, violet, secret, coquet, désuet
— **En cas d'hésitation** reportez-vous à la _fiche 62_, page 80.

⑥ **Dans la série _e_ l'adjectif au féminin garde-t-il la consonne finale de l'adjectif au masculin ?**
— **Mettez au féminin les adjectifs entre parenthèses :**
une pente (doux), une chevelure (roux), une ville (grec), une administration (public), une femme (heureux), une (long) attente, une salade (frais), une maladie (bénin), une commerçante (malin), une peinture (blanc)

⑦ **Dans la série _f_ les adjectifs en _eur_ forment leur féminin de trois façons différentes. Lesquelles ?**
— **Mettez au féminin les adjectifs entre parenthèses :**
une position (supérieur), la partie (postérieur), la décoration (intérieur), une main (vengeur), une force (moteur), une personne (menteur), l'énergie (créateur), une expression (rieur), une manœuvre (traître), une lecture (moralisateur), une action (perturbateur), la mère (fondateur)
— **Classez-les par catégories selon la terminaison.**

⑧ **Écrivez au féminin les adjectifs suivants et formulez vos remarques pour chaque série :**
    _a)_ caduc, public, turc, grec _b)_ absous, dissous
    _c)_ jaloux, doux, roux   _d)_ beau, jumeau, nouveau
    _e)_ aigu, ambigu, exigu

FICHE 59	LE FÉMININ DES ADJECTIFS

- *On forme, en général, le féminin des adjectifs en ajoutant un e au masculin :*
  Exemples : *gris, grise - fort, forte*
  aigu, aiguë (ne pas oublier le tréma)
- Les adjectifs terminés par e ne changent pas au féminin.
  Exemples : *un teint pâle, une figure pâle*

QUELQUES FÉMININS PARTICULIERS

FICHE 60	LES ADJECTIFS TERMINÉS PAR **ER** COMME **DERNIER**

*S'écrivent **ère** au féminin :* léger, lég**ère**
dernier, derni**ère**

FICHE 61	CERTAINS ADJECTIFS **DOUBLENT** LA CONSONNE FINALE

- adjectifs terminés par **el, eil** : vermeil (vermei**lle**), actuel (actue**lle**)
- adjectifs terminés par **ul** : nul (nu**lle**)
- adjectifs terminés par **on** : breton (breton**ne**)
- adjectifs terminés par **ien** : ancien (ancien**ne**)
- adjectifs terminés par **as** : gras (gra**sse**) las (la**sse**)
  mais : ras (rase)

FICHE 62	LES ADJECTIFS TERMINÉS PAR **ET**

- *La plupart de ces adjectifs doublent la consonne finale au féminin*
  Exemples : *fluet ⟶ fluette*   *violet ⟶ violette*
  coquet ⟶ coquette   *net ⟶ nette*
- *Mais un certain nombre font leur féminin en **ète** :* complet, discret, concret, désuet, inquiet, secret...
  Exemples : *complète, discrète*

FICHE 63	CERTAINS ADJECTIFS **CHANGENT** DE CONSONNE FINALE

- doux (douce), roux (rousse), jaloux (jalouse)
- public (publique), turc (turque), grec (grecque)
- malin (maligne), bénin (bénigne)
- favori (favorite), absous (absoute), dissous (dissoute)

FICHE 64	LES ADJECTIFS EN **EUR**

- *Ils font en général leur féminin en **euse** :*

    Exemples : *menteur (ment**euse**), rieur (ri**euse**)*

- *Mais certains le font en **eure** :* meilleur, majeur, mineur, supérieur, inférieur, antérieur, postérieur...

    Exemple : *la meilleure part*

- *La plupart des adjectifs en **teur** font leur féminin en **trice***

    Exemples : *créateur (créa**trice**), moralisateur (moralisa**trice**)*

FICHE 65	LES ADJECTIFS **BEAU, NOUVEAU, VIEUX**

- *Devant un nom masculin commençant par **une voyelle** ou un **h muet** on écrit **bel, nouvel, vieil**.*

    Exemples : *un **bel** arbre, le **nouvel** an, un **vieil** homme*

- Il ne faut pas confondre avec le féminin : une belle rivière, la nouvelle année, une vieille femme.

Exercices d'application

— Fiche 59 : exercice ②, page 78.
— Fiche 60 : exercice ③, page 78.
— Fiche 61 : exercice ④, page 79.
— Fiche 62 : exercice ⑤, page 79.
— Fiche 63 : exercice ⑥, page 79.
— Fiche 64 : exercice ⑦, page 79.
— Diverses fiches : exercice ⑧, page 79.
— Séance 27 : exercice ①, page 93.

Séance 22 - LE PLURIEL DES ADJECTIFS QUALIFICATIFS

☐ **Test personnel** *(au brouillon)*

Mettez au pluriel les adjectifs suivants : abrupt, fatal, cordial, banal, théâtral, final, mondial, brutal, glacial, moral, nouveau, hébreu

Corrigé

abrupts, fatals, cordiaux, banals, théâtraux, finals, mondiaux, brutaux, glacials, moraux, nouveaux, hébreux.

► *Si vous avez commis* deux fautes ou plus *cette leçon vous est nécessaire.*

---

1 OBSERVEZ LES EXPRESSIONS SUIVANTES

a - un arbre mort, des arbres morts - une fleur rouge, des fleurs rouges
b - le ciel gris, des ciels gris - un homme heureux, des hommes heureux
c - un beau spectacle, de beau*x* spectacles
d - un accueil cordial, des propos cordi*aux*

---

2 RÉFLÉCHISSEZ ET EXERCEZ-VOUS

① **D'après les exemples de la série *a* comment obtient-on, en règle géné-rale, le pluriel d'un adjectif ? Dans quels cas l'adjectif singulier n'est-il pas modifié au pluriel (série *b*) ?**

② **Mettez au pluriel quand c'est nécessaire les adjectifs entre parenthèses :**
des coteaux (abrupt) - les faits (exact) - des rapports (complet) - des che-veux (roux) - les degrés (supérieur) - des embarras (pécuniaire) - des cris (joyeux) - des œufs (frais)

③ **Mettez au féminin pluriel les adjectifs entre parenthèses :**
des montagnes (abrupt) - des règles (strict) - les données (exact) - des masses (compact) - les côtes (provençal) - des nouvelles (frais)

④ **Dans la série *c* l'adjectif se termine par *eau*. Comment forme-t-il son pluriel ? Ceci est vrai également pour l'adjectif *hébreu*.**

— **Mettez au pluriel :**

des faits (nouveau), de (beau) arbres, des lits (jumeau), des textes (hébreu)

⑤ **Dans la série** *d* **l'adjectif se termine par** *al.* **Comment forme-t-il son pluriel ?**

— **En vous reportant à la fiche 67 mettez au pluriel les adjectifs entre parenthèses :**

les règlements (fiscal) - les délais (légal) - les principes (moral) - des pays (glacial) - des faits (banal) - des propos (cordial) - des tabourets (bancal) - les résultats (final) - des gestes (brutal) - des événements (fatal) - des records (mondial) - des gestes (théâtral) - des échanges (amical)

---

3 | BILAN RÉCAPITULATIF

FICHE 66	PLURIEL DES ADJECTIFS QUALIFICATIFS

• *Généralement on forme le pluriel des adjectifs qualificatifs en ajoutant un s au singulier :*

Exemple : *un travail urgent, des travaux urgents*

• Les adjectifs terminés par **s** ou **x** ne changent pas au pluriel

Exemple : *un chien affectueux, des chiens affectueux*

FICHE 67	PLURIELS PARTICULIERS

• *Les adjectifs en **eau** font leur pluriel en **eaux**.*

Exemple : *un beau spectacle, de beaux spectacles*

• *Les adjectifs en **al** font, généralement, leur pluriel en **aux**.*

Exemples : *un film original, des films originaux*
un événement mondial, des événements mondiaux

Mais les adjectifs suivants font leur pluriel en **s** : banal, bancal, fatal, final, glacial, natal, naval.

FICHE 68 | PAS DE MASCULIN PLURIEL

• *Généralement les adjectifs suivants ne s'emploient pas au **masculin pluriel*** :
astral, austral, boréal, colossal, frugal, jovial, pluvial, automnal...

• Mais ils s'emploient au *féminin* pluriel : les études astrales, les régions boréales, etc.

Exercices d'application

— Fiche 66 : exercices ② et ③, page 82.
— Fiche 67 : exercices ④ et ⑤, page 83.
— Diverses fiches : séance 27, exercice ②, page 93.

⑥ *Fiche 68.* **Afin de ne pas employer ces adjectifs au masculin pluriel, on tourne la phrase autrement.**

Exemple : *frugal ⟶ des hommes de tempérament frugal*

Procéder ainsi pour exprimer : des voyages (astral), des pays (austral), des hommes (colossal), des amis (jovial), des jours (automnal).

⑦ **Synthèse. Mettez les adjectifs suivants au pluriel en les employant dans une courte phrase avec un nom :**
— mondial, international, capital, fatal, natal, banal, cordial.
— net, prêt, hébreu, excessif, suspect, exact, urgent, abrupt, plein.

Séance 23 - L'ACCORD DE L'ADJECTIF QUALIFICATIF

FICHE 69	RÈGLE GÉNÉRALE

• *L'adjectif qualificatif s'accorde en genre et en nombre avec le **nom** ou le **pronom** auquel il se rapporte.*

Exemples : *Un **beau** tableau - Cette fleur est **belle** - Ils sont **beaux***
*La France possède de **belles** églises romanes*

FICHE 70	QUELQUES DIFFICULTÉS

① *Cherchez le nom auquel l'adjectif se rapporte.* Il peut être **éloigné** de l'adjectif, avant ou après lui.

Exemple : *Étranges sous la lune, les deux étangs luisaient*

② *N'oubliez pas que deux singuliers valent un pluriel*

Exemple : *Un foulard et un béret rouges* (tous deux sont rouges)
Mais : *Il se nourrissait de riz et de poisson cru* (seul le poisson est cru)

③ *N'oubliez pas que le masculin l'emporte sur le féminin*

Exemple : *La mer et le ciel étaient bleus*
féminin + masculin = masculin pluriel

④ *Si l'adjectif accompagne un nom suivi d'un complément, c'est le sens qui règle l'accord.*

Exemples :
— *une boutique de vêtements accueillante* (c'est la boutique qui est accueillante)
— *une boutique de vêtements démodés* (ce sont les vêtements qui sont démodés)
— *une boutique de vêtements sombre* (ou : *sombres*)

EXERCICES

① **Accordez l'adjectif qualificatif comme il convient :**
Nous sommes (satisfait) de notre travail - Elles sont (satisfait) de leur travail - Ils écoutaient, sans un mot (immobile) - (seul), dans le jardin desséché, les tomates poussaient encore - Ces précautions semblaient (indispensa-

ble) - Ces deux grands artistes, malgré la gloire, restaient (modeste) - (silencieux), au milieu de la cour déserte, les femmes attendaient - (pâle), au fond de la pièce, les deux hommes écoutaient (étonné) et (muet) -

② Faites comme il convient l'accord de chaque adjectif :
C'étaient partout un bruit et un mouvement (incessant) - Il se sentait l'estomac et la tête (vide) - Il regarda la ville puis la mer (immense) - A travers le monde que de régions et de pays (inconnu) à découvrir - Il se contentait de pain et de fromage (fort) - Ce sportif fait preuve d'un entrain et d'une combativité (exceptionnel).

③ Faites comme il convient l'accord de chaque adjectif :
— C'était une foule de gens (excité) - Il regardait tomber les vols de feuilles (mort) - Des tourbillons de neige (glacé) l'enveloppaient - Une foule de curieux de plus en plus (épais) noyait le trottoir - Elle portait une robe de coton très (long) - Il jeta le bouquet de fleurs (fané) - Il était entouré d'un essaim de papillons (rouge) et (blanc) - C'était un tas de vêtements (usagé) - Voici un vendeur de journaux (sympathique).

— Une bande de chiens (affamé) - Un paquet de spécialités (lyonnais) - Une foule de questions (angoissant) - Une collection de timbres (abondant) - Une pile de livres (impressionnant).

Exercices ② et ③, page 93.

Séance 24 - ACCORD DE L'ADJECTIF : FICHES COMPLÉMENTAIRES

| FICHE 71 | ACCORD DES ADJECTIFS COMPOSÉS |

- *Si l'adjectif composé est formé **de deux adjectifs** les deux **s'accordent**.*

  Exemples : *un garçon sourd-muet, des enfants sourds-muets*
  une fille sourde-muette

- *Si l'un des éléments de l'adjectif composé est un **mot invariable*** (adverbe, abréviation...) *cet élément **ne s'accorde pas.***

  Exemples : *des pays anglo-saxons*
  des enfants nouveau-nés (nouveau = nouvellement)
  des huiles extra-fines

| FICHE 72 | ACCORD DES ADJECTIFS DE COULEUR |

- *Si la couleur est exprimée par **un adjectif simple**, cet adjectif **s'accorde** normalement.*

  Exemples : *des reflets jaunes, des yeux bleus*

- *Exceptions :* L'adjectif ne s'accorde pas s'il s'agit en fait d'un nom employé comme adjectif et exprimant la couleur *par comparaison.*

  Exemples : *une teinte lilas* (= comme celle du lilas), *une robe marron, des cravates cerise*

  Les mots suivants employés comme adjectifs sont invariables : *abricot, acajou, argent, azur, brique, bronze, caramel, café, chamois, crème, ébène, grenat, kaki, mastic, ocre, or, orange, perle...*

  — Toutefois les mots *mauve, fauve, rose, pourpre* qui sont devenus de véritables adjectifs s'accordent.

- *Si la couleur est exprimée par **un adjectif composé**, cet adjectif reste **invariable**.*

  Exemples : *des yeux bleu pâle* (= d'un bleu pâle)
  une robe bleu-vert → trait d'union entre les deux couleurs.

FICHE 73	NU, MI, DEMI

- *Devant le nom **nu, mi, demi** sont **invariables**.*

  Exemples : *aller nu-tête, une demi-heure,*
  à mi-jambes

- *Après le nom **nu, mi, demi** s'accordent*

  Exemples : *aller tête nue, une heure et demie,*
  des jambes nues
  *Mais **demi** ne prend jamais la marque du pluriel.*

  Exemples : *trois heures et demie* (pas de s)

EXERCICES

① Faites comme il convient l'accord des adjectifs :

des fruits (aigre-doux) - des cerises (aigre-doux) - la période (gallo-romain) - les différents traités (franco-allemand) - des enfants (nouveau-né) - des fenêtres (grande ouverte) - des voitures (aérodynamique) - des signes (avant-coureur) des cellules (photo-électrique) - des assemblées (tout-puissant)

② Faites accorder, s'il y a lieu, les mots entre parenthèses :

J'observais ses prunelles (gris) et (bleu) - des fruits (rouge vif) - des teintes (pourpre) - des couleurs (rose) ou (cerise) - des yeux (bleu-vert) - des souliers (marron) - une salade (vert tendre) - des étoffes (grenat) - des teintes (gris perle) - des pelages (fauve) - des fleurs (mauve) - des couleurs (paille) - des écharpes (vert olive)

③ Faites accorder, s'il y a lieu, *nu, mi* et *demi* :

Pendant une (demi)-heure il dut marcher tête (nu) au soleil - Au bout d'une heure et (demi) la mer commença à monter et l'eau nous arriva jusqu'à (mi)-cuisses - Il fallut deux heures et (demi) pour dégager les décombres - Ils écoutèrent la Marseillaise (nu)-tête.

④ Synthèse. Employez dans de courtes phrases avec des noms au pluriel les adjectifs suivants :

pourpre, marron, rose, cerise, jaune clair, rouge foncé, demi, nu, mauve, gallo-romain, gris-bleu, sourd-muet, franco-soviétique, gastro-intestinal.

Exercices ④, ⑥ et ⑦, page 93.

Séance 25 - ACCORD DES ADJECTIFS NUMÉRAUX

FICHE 74	ACCORD DES ADJECTIFS NUMÉRAUX CARDINAUX

Exemples : *un, deux, trois, quatre...*

- *Les adjectifs numéraux cardinaux sont **invariables***

Exemples : *les quatre pattes, les sept jours, les dix mille francs*

- *Seuls **vingt** et **cent** prennent un **s** s'ils sont **multipliés** par un autre nombre.*

Exemples : *quatre-vingts, trois cents*
Mais l'usage veut que cet *s* disparaisse si vingt et cent sont suivis d'un autre nombre*.

Exemples : *quatre-vingt-cinq, trois cent dix*

- ***Attention !*** millier, million, milliard ... sont des ***noms*** et prennent la marque du pluriel.

Exemple : *des milliers de francs*

FICHE 75	ACCORD DES ADJECTIFS NUMÉRAUX ORDINAUX

Exemples : *premier, deuxième, troisième...*

- *Les adjectifs numéraux ordinaux **s'accordent** normalement.*

Exemples : *les premiers hommes*
les deux seconds prix
les six dixièmes

FICHE 76	ÉCRITURE DES NOMBRES

- *On écrit les nombres **en toutes lettres** à l'exception des dates et des heures :*

Exemples : *Ils étaient **sept**. Nous sommes tous les **deux** nés en **1960**.*
*Nous prendrons tous les **quatre** le train de **9** heures **30**.*

- *Rappel : les éléments d'un nombre composé **inférieur à cent** sont reliés par un trait d'union.*

Exemples : *vingt-sept, trente-cinq*

---

* L'arrêté du 28 décembre 1976 tolère le *s* même si vingt et cent sont suivis d'un autre nombre.

EXERCICES

① **Écrivez en toutes lettres :**
— **les adjectifs numéraux de 1 à 20**
— **80, 82, 200, 325, 75, 500, 17, 510, 4 000, 62, 3 125**

② **Écrivez comme il convient :**
Les (sept) joueurs ont résisté - Nos (onze) amis seront présents - Arrêtez-vous tous les (cinquante) pas - Les (vingt) autres s'éloignèrent, seuls restèrent les (douze) premiers

③ **Écrivez comme il convient :**
Il a perdu (quatre cent) francs - Je dispose de (trois mille) francs - Voici les (vingt) francs que je vous devais - Je vous rends les (quatre-vingt) francs que vous m'aviez prêtés - Nous étions (cent vingt) hommes armés - Tous les (cent) pas il reprenait son souffle - Nous avons couvert (quatre cent trente) kilomètres en voiture.

④ **Écrivez les adjectifs numéraux ordinaux entre** *premier* **et** *vingtième*.

⑤ **Écrivez comme il convient :**
Les trois (premier) prix - les deux (second) rôles - les deux (sixième) - les quatre (dixième) - les trois (quart) - les quatre (cinquième)

⑥ **Dans « la page trois cent », « trois cent » marque le numéro d'ordre de la page. Il est employé comme adjectif ordinal et est invariable.**
— **Écrivez comme il convient :**
page 80, page 400, cabine 180, chambre 200.

⑦ **Synthèse. Écrivez comme il convient :**
— 80, 84, 85, 200, 210, 320, 300, 400.
— trois (million), quatre (milliard), sept (millier) - les (cinq huitième), les (trois septième), les (sept dixième).
— la page 500, la page 2 000 - 4 000, 2 880, 1 200.

Séance 26 - QUELQUES ACCORDS PARTICULIERS

FICHE 77	EXCEPTÉ, VU, ATTENDU, PASSÉ, NON COMPRIS, Y COMPRIS, CI-INCLUS, CI-JOINT...

- **_Avant le nom_**, *ces participes passés restent* **_invariables._**

  Exemples : **_Passé_** *dix heures, c'est le silence*
  Tous furent sauvés, **_excepté_** *deux fillettes*
  Ci-joint *deux lettres pour nos amis ...*

- **_Après le nom_**, *ces participes* **_s'accordent_** *normalement.*

  Exemples : *Il est cinq heures* **_passées_** *- ... deux fillettes* **_exceptées_** *- les lettres* **_ci-jointes_**

FICHE 78	ACCORD DE QUELQUES ADJECTIFS INDÉFINIS

Exemples

- **Telles** furent ses dernières paroles → **tel** *s'accorde avec le nom ou le pronom auquel il se rapporte*
- Pourquoi de **tels** cris ?
- **Tel** père, **tel** fils
- Certains plantes **telles que** la menthe → *dans l'expression* **tel que**, *tel s'accorde avec le nom qui précède*
- **Chaque** jour ... → **chaque** *(jamais d's) est toujours au singulier ainsi que le nom qui suit*
- **Plusieurs** hommes ... → **plusieurs** *(toujours s) est toujours au pluriel ainsi que le nom qui suit*
- **Aucun** individu ... → **aucun** *est le plus souvent au singulier ainsi que le nom qui suit*
- Un **certain** jour ... → **certain** *est variable et s'accorde avec le nom qu'il accompagne*
- **Certains** journalistes ...

EXERCICES

① **Accordez comme il convient :**

Vous trouverez (ci-inclus) les pièces demandées - (Passé) onze heures, la maison était verrouillée - Tous les passagers périrent (excepté) deux femmes -

91

Consultez les consignes (ci-joint) - Il est dix heures (passé) - Vous avez droit à la somme (ci-inclus), (non compris) les heures supplémentaires - (Attendu) la loi du 6 novembre 1981... - Ces trois élèves (excepté) vous pouvez sortir.

② Accordez comme il convient :

(Tel) sont nos points de vue - Pourquoi une (tel) fête ? - De (tel) amis sont précieux - Certains médicaments (tel) que l'aspirine... - Il y a de (tel) erreurs, qu'il faut tout recommencer - Les étoffes soyeuses (tel) que celle-là, me séduisent - Des travaux (tel) que le vôtre méritent l'admiration.

③ Accordez comme il convient :

Ces hommes accomplissent (chaque) fois des prouesses - Je cueille chaque (joie) avec délice - Il vint, suivi de plusieurs (ami) - Plusieurs (approuver, présent de l'indicatif) ma décision - Je n'ai aucun (papier) - Nous sommes fatigués (certain soir).

Séance 27 - RÉVISION 5
L'ACCORD DES ADJECTIFS

(1) **Mettez au féminin les adjectifs suivants :**

► Revoir : *fiches 59 à 65.*

gris	gros	aérien	menteur	complet
loyal	gras	nul	meilleur	fluet
lourd	gentil	ancien	supérieur	discret
ardu	pâlot	essentiel	créateur	net
léger	vermeil	ras	fondateur	inquiet
dernier	breton	las	moralisateur	public
aigu	traître	doux	dissous	turc
				grec

(2) **Accordez comme il convient :**

► Revoir : *fiches 66 à 68.*

des pentes (abrupt) - de (beau) paysages - les degrés (inférieur) - les côtes (provençal) - des nouvelles (frais) - des lits (jumeau) - des principes (moral) - les résultats (final) - des meubles (bancal) - des propos (banal) - des paroles (banal) - des textes (original) - des hivers (glacial)

Les accords dans la phrase

(3) **Faites comme il convient l'accord de chaque adjectif :**

► Revoir : *fiches 69 et 70.*

Nous sommes (content) de ces résultats - C'est un (beau) arbre - Les femmes restaient dans un coin (silencieux) - Nos amis écoutaient avec attention (muet) d'étonnement - J'ai visité des villes et des pays (inconnu) - Il vivait de riz et de poisson (cru) - Une foule de badauds de plus en plus (compact) nous entourait - C'était une forêt d'arbres (mort).

(4) **Accordez comme il convient :**

► Revoir : *fiches 71 à 73.*

des enfants (sourd-muet) - des pays (anglo-saxon) - deux garçons (nouveau-né) - des oranges (aigre-doux) - des signes (avant-coureur)

des yeux (vert) et (bleu) - des teintes (rose), (mauve) et (cerise) - des chaussures (marron) - des yeux (gris-bleu) - une étoffe (rouge vif) - une couleur (vert tendre)

(5) **Écrivez en toutes lettres :**

➤ Revoir : *fiches 74 à 76.*

les 20 premiers - 430 kilomètres - les 3/4 d'un litre - 75 centilitres - 500 kilomètres - 80 francs - 83 francs - 62 personnes - la chambre 200 - les 6/10 - 4 000 000 - page 80

(6) **Trouvez des adjectifs composés dont nous vous donnons ici le premier élément :**

hélio, franco, électro, gastro, aéro.

Employez-les dans des phrases au féminin pluriel.

(7) **Cherchez les adjectifs correspondants aux noms suivants et employez-les dans de courtes phrases au féminin pluriel.**

estomac, intestin, foie, thorax, poumon, cerveau - forêt, lac, volcan, ciel, air, cité - femme, enfant - chien, chat.

Séance 28 - LES ADVERBES

FICHE 79 | QUELQUES ADVERBES PARTICULIERS

1) *Certains **adjectifs qualificatifs** peuvent être employés comme **adverbes**. Ils sont alors **invariables**.*

Exemples : *Ces produits se vendent **cher** - Ils chantent **juste***
*Ces hommes crient **fort** ...*
cher, juste, fort se rapportent à un verbe non à un nom.

2) *Les mots **debout, ensemble, loin, pêle-mêle** sont des **adverbes**. Ils sont donc toujours **invariables**.*

Exemples : *Des hommes **debout** - Tous les amis **ensemble***
*Ils étaient **loin** - Des objets **pêle-mêle***

3) *Certains adverbes sont **toujours** terminés par **s** :*
jamais, toujours, ailleurs, d'ailleurs, moins, désormais, certes, néanmoins, volontiers.

FICHE 80 | LES ADVERBES EN « MENT »

Exemples : *clairement, fortement, doucement ...*

● **Règle générale de formation**

1) *l'adjectif a été mis au **féminin** :*   net ——————▶ net**te**
général ——————▶ général**e**

2) *le suffixe « ment » a été ajouté :*   nette ——————▶ nette**ment**
générale ——————▶ générale**ment**

Pour écrire ces adverbes sans faute reprenez ces deux étapes.

● **Cas particuliers**

1) Dans certains adverbes on rencontre *un accent aigu* qui n'existe pas dans l'adjectif : confus**é**ment, profond**é**ment, obscur**é**ment.

2) Quelques adverbes proviennent d'anciens adjectifs qui n'existent plus : brièvement, grièvement, journellement, gentiment, traîtreusement ...

3) *Quand l'adjectif masculin se termine par une voyelle l'e du féminin qu'on n'entend pas disparaît.*

Exemples : *joli/ment, hardi/ment, vrai/ment, absolu/ment, modéré/ment...*

Mais, attention ! Il a été *remplacé par un accent circonflexe* sur le **u** dans les adverbes suivants : assid**û**ment, contin**û**ment, cr**û**ment, d**û**ment, ind**û**ment, goul**û**ment.

FICHE 81	ADVERBES DONT LA FINALE EST PRONONCÉE « AMAN »

Exemples : *élégamment, prudemment, savamment ...*

- **1ʳᵉ remarque** : *Tous les adverbes en « aman » prennent* **deux m.**
- **2ᵉ remarque** : *Pour savoir s'ils s'écrivent avec un a ou un e on recherche l'adjectif dont ils sont dérivés.*

— Si *l'adjectif* s'écrit avec un **a** l'adverbe aussi :

Exemples : *élégant* ⟶ *élégamment*   *savant* ⟶ *savamment*
           puissant ⟶ *puissamment*   *abondant* ⟶ *abondamment*

— Si *l'adjectif* s'écrit avec un **e** l'adverbe aussi :

Exemples : *prudent* ⟶ *prudemment*   *violent* ⟶ *violemment*
           fréquent ⟶ *fréquemment*   *évident* ⟶ *évidemment*

EXERCICES

① **Accordez ou non les mots suivants selon qu'ils sont employés comme adjectifs ou comme adverbes :**
Les fleurs sentaient (bon) - Ces paresseux ne sont (bon) à rien - Ils parlaient tout (haut) de leurs affaires - Nos chênes sont (haut) et (fort) - Il a une voix (fort) - Ils chantent (fort) - C'est une faute qui vous coûtera (cher) - Ces fruits sont (cher) - Tous ces produits se vendent (cher) - Elles parlaient (bas) - Ils couraient très (vite) - Elles filaient (doux).

② **Faites ou non l'accord, selon qu'il s'agit d'un adverbe ou d'un adjectif :**
Nous sommes tous (réuni) - Nous sommes tous (ensemble) - Les hommes (debout) et (attentif) écoutaient ce discours ; les femmes se tenaient (loin) de là (silencieux) - Les tiroirs étaient (plein) d'objets (jeté) là (pêle-mêle).

③ **Dans les adverbes suivants, ajoutez l'*s* où il est nécessaire :**
de bon gré... - malgré... - jamai... - désormai... - quelquefoi... - de préférence... - dessu... - moin... - ailleur... - certe... - trop... - d'ailleur... - néanmoin... - là-dessou... - volontier... - toujour... - autrefoi... - longtemp...

④ **Formez les adverbes en « *ment* » correspondant aux adjectifs suivants :**
— plat, doux, faible, plein, fier, certain, léger, dur, lâche, calme
— aisé, modéré, obstiné, poli, ingénu, absolu, éperdu, résolu
— confus, énorme, immense, conforme, précis, commun, uniforme
— assidu, cru, continu

(5) **Formez les adverbes en « aman » correspondants aux adjectifs suivants :**

patient, décent, récent, brillant, galant, excellent, puissant, bruyant, imprudent, conscient, insolent, pesant, étonnant, inconscient, indépendant, éloquent, apparent, prudent, incessant

(6) **Employez dans de courtes phrases les adverbes suivants :**

— assidûment, indûment, traîtreusement, obstinément, grièvement, brièvement, inconsciemment, délibérément.

— désormais, ensemble, pêle-mêle, dorénavant, jadis, naguère.

Nota : jadis = il y a longtemps
naguère = il y a quelque temps.

Séance 29 - ACCORD DU VERBE AVEC SON SUJET
1 - RÈGLE GÉNÉRALE

☐ **Test personnel** *(au brouillon)*

Écrivez correctement au présent de l'indicatif le verbe entre parenthèses :
Tu (crier) - Tu (être) - Nous vous les (donner) - Il nous les (avoir pris) - Vous les lui (prêter) - Où nous (conduire)-vous ? - Les fruits que (porter) l'arbre (tomber) au sol - De la ville, à travers la nuit (monter) sans fin des bruits étranges - Il ne (cesser) de (s'étonner) de l'effet que (provoquer) sur sa voisine les films comiques.

Corrigé

cesse, s'étonner, provoquent.

Tu cries, tu es, donnons, ont pris, prêtez, conduisez, porte, tombent, montent,

► *Si vous avez commis* deux fautes ou plus *cette leçon vous est nécessaire.*

► *Règle générale d'accord*

1 OBSERVEZ LES PHRASES SUIVANTES

— Notre ami *viendra* ce soir
— Nous *partirons* dès demain

2 RÉFLÉCHISSEZ ET EXERCEZ-VOUS

① **Remplacez « notre ami » par « nos amis ». Ceci entraîne quelle modification ?**

Remplacez « nous » par « je », puis « tu », puis « il ». Que devient le verbe ?

② **Sans modifier la forme du verbe, complétez chacune des phrases suivantes :**
— d'abord par un pronom ;
— ensuite par un groupe nominal.

... furent détruites - ... ont été abandonnés - ... a manifesté son mécontentement - ... ont obtenu une augmentation

Conclusion : quelle est la fonction du groupe que vous avez ajouté ? Quels sont les éléments dont vous avez tenu compte pour choisir ce groupe ?

③ **Donnez un pronom sujet à chacun de ces verbes :**

crie, crions, crient, cries - es, suis, êtes, ai, as, avons - chante, chantaient, chantiez, chanterons

④ **Écrivez les verbes entre parenthèses :**
— **au présent de l'indicatif :**

Les flammes (s'élever) - Les fruits (mûrir) - Je (être) heureux de vivre - Les chasseurs (guetter) le gibier - Nous (apercevoir) le clocher.

— **à l'imparfait :**

Il ne (croire) pas que j'(arriver) si tôt - Je leur (demander) leur avis - Nous (pêcher) au bord de la Loire tandis qu'elles (cueillir) des fleurs - Je (vivre) à la campagne - Nous (descendre) à la première station et nous (s'engager) dans la rue à droite.

---

3 BILAN RÉCAPITULATIF

FICHE 82	RÈGLE GÉNÉRALE

*Le verbe s'accorde en **nombre** et en **personne** avec son **sujet**.*

Exemple 1 : *Nos amis, chant**ent** en chœur*

Qui est-ce qui « chante » ? Ce sont *« nos amis »* qui chant**ent**

Exemple 2 : *Notre ami, chante tout seul*

Exemple 3 : *Je chante, tu chant**es**, nous chant**ons** ...*

Exercices d'application

— Séance 29 : exercices ②, ③ et ④, pages 98-99.

▶ *Comment reconnaître le véritable sujet ?*

1 OBSERVEZ LES PHRASES SUIVANTES

a - Ils nous attendent - Ils vous en demandent
b - Tous les joueurs, groupés autour de l'arbitre, restaient silencieux
c - De la ville montaient des bruits sourds

2 RÉFLÉCHISSEZ ET EXERCEZ-VOUS

⑤ **Dans chacun des exemples *a, b, c* précisez quel est le sujet.**
— **Comment procédez-vous pour le trouver ?**
— **Est-ce toujours le mot qui précède le verbe ?**

⑥ **Écrivez les verbes entre parenthèses au présent de l'indicatif :**
Nous les (attendre) - Vous les (attendre) - Je les (attendre) - Ils nous (parler) - Tu nous les (donner) - Je les (voir) - Nous vous les (donner) - Il nous (suivre).

⑦ **Continuez la conjugaison à toutes les personnes :**
Je vous les offre (tu nous ...) - Je lui fais un cadeau - Je le lui dis.

⑧ **Faites l'accord avec le vrai sujet :**
Les étincelles du feu d'artifice (enflammer, passé simple) une meule de paille - Un mur, couvert d'inscriptions (entourer, imparfait) la cour - Le bureau, encombré de meubles et de livres (être, imparfait) parfaitement silencieux - Deux femmes qui tenaient un enfant à la main (regarder, imparfait) le spectacle - Le chant des pinsons et des rossignols nous (ravir, imparfait).

⑨ **Dans l'exemple *c* où se trouve placé le sujet par rapport au verbe ?**
— **Accordez les verbes entre parenthèses à l'imparfait :**
C'était une petite cour que (border) à droite et à gauche de longs murs - Où (être parti) nos amis ? - Jacques s'amusait de la crainte qu'(inspirer) à sa voisine ses deux chiens - Dans le jardin (pousser) durant l'été des herbes sauvages - De chaque côté de la porte (se tenir) des hommes en arme. Les troncs que (charrier) la rivière (se heurter) aux rives.

⑩ **Écrivez au futur les verbes entre parenthèses :**
Quand nous (écrire)-vous ? - Quand nous (écrire)-tu ? - Où (aller)-vous ? - Où nous (conduire)-vous ?

FICHE 83	**BIEN RECONNAÎTRE LE SUJET DE CHAQUE VERBE**

1) *Le mot qui précède le verbe n'est pas nécessairement son sujet :*
— *Ils* nous attend**ront** (sujet = *ils* ➝ ils attendront nous)
— *Vous* nous dir**ez** (sujet = *vous* ➝ vous direz à nous)
— *Notre ami* nous les off**rait** (sujet = *notre ami* ➝ notre ami offrait ...)

2) *Le sujet peut être éloigné du verbe :*

Exemple : *Le chien,* dès que ses jeunes maîtres apparaissaient, manifest**ait** sa joie. (C'est *le chien* qui manifestait sa joie)

3) *Le sujet peut être placé après le verbe :*

Exemples : *Des toits s'élève une légère fumée*
Quand nous écriras-tu ? (le sujet est inversé dans les phrases interrogatives)

➤ *Recherchez donc attentivement le sujet du verbe pour faire l'accord.*

Exercices d'application

— Séance 29 : exercices ⑥ à ⑩ , page 100.
— Séance 34 : exercice ④ , page 112.

⑪ **Accordez le verbe comme il convient.**

— **présent de l'indicatif :** Il nous les (prendre) - Vous ne nous (croire) pas - Votre père nous le (demander) - Ses amis nous le (demander) - Tu nous les (donner).

— **imparfait :** De la nuit (s'élever) des bruits qui nous (terrifier) - Dans la forêt (se cacher) depuis des semaines tous les brigands qui (craindre) la justice - J'(écouter) les chants que (lancer) le batelier et le clapotement des eaux qui (battre) la coque.

ACCORD DU VERBE AVEC SON SUJET
_2_ - DIFFICULTÉS PARTICULIÈRES[1]

FICHE 84	**L'INFINITIF**

- _L'infinitif ne varie jamais même s'il a un sujet propre._

  Exemples : _J'ai entendu les élèves rire_
  Ils regardaient les hirondelles s'envoler

- _Ne confondez pas :_

  1) _L'infinitif en **er** et le présent de l'indicatif (2e personne du pluriel) en **ez**._

  Exemples : _Je vais vous donner un conseil_
  (donner = infinitif. On peut remplacer par « prendre »)
  Vous me donnez un excellent conseil
  (donnez = indicatif présent)

  2) _L'infinitif en **ir** et le passé simple (3e personne du pluriel) en **irent**_

  Exemples : _Je les regardais partir_
  (partir = infinitif. On peut remplacer par « mordre »)
  Il partirent en rangs serrés
  (partirent = passé simple)

FICHE 85	**APRÈS LE SUJET « TU »**

- _Après le sujet **tu** le verbe se termine toujours par **s**._
  Exemples : _tu chantes , tu chantais, tu auras chanté ..._
  tu vas , tu allais , tu iras ...
  tu prends , tu pris , tu prenais, tu prendras
- **Trois exceptions :** tu veux, tu peux, tu vaux

FICHE 86	**SI LE VERBE A PLUSIEURS SUJETS**

  1) _Le verbe est au **pluriel** si les sujets **s'ajoutent.**_

  Exemple : _Le directeur et son adjoint apparurent_ (= 2 personnes)

  2) _Le verbe est au **singulier** si l'un des sujets **exclut** l'autre._

  Exemple : _Le directeur ou son adjoint règlera l'affaire_ (= 1 personne)

3) *Le verbe est également au **singulier** :*
— si les sujets forment *une gradation*.

Exemple : *Un souffle, un léger bruit, un rien pouvait l'effrayer*
— si les sujets désignent *le même être ou la même chose*.

Exemple : *Ce rude soldat, ce vétéran avait l'âme d'un enfant*

FICHE 87	SI LES SUJETS SONT À DES **PERSONNES** DIFFÉRENTES

• *La 1re personne l'emporte sur les autres*
moi + n'importe quelle personne
nous + n'importe quelle personne $>$ = **nous** (1re personne du pluriel)

Exemple : *Mes amis et **moi**, **nous** organisons une fête*
*Elle et **moi**, **nous** ...*
*Toi et **moi**, **nous** ...*
*Eux et **moi**, **nous** ...*

• *La 2e personne l'emporte sur la 3e*
toi + lui ou eux
vous + lui ou eux $>$ = **vous** (2e personne du pluriel)

Exemple : *Mes amis et **toi**, **vous** préparez un voyage*
*Elle et **toi**, **vous** ...*
*Eux et **toi**, **vous** ...*
*Lui et **toi**, **vous** ...*

EXERCICES

① *Fiche 84.* **Accordez le verbe s'il le faut**

— au passé simple :

J'ai vu mes voisins (sortir) - Mes voisins (sortir) l'un après l'autre - Ils (accomplir) un travail considérable - J'ai laissé les hommes (accomplir) leur travail.

— au présent de l'indicatif ou de l'impératif :

Je voudrais vous (proposer) une solution - C'est la solution que vous (proposer) - Voudriez-vous me (prêter) votre livre ? - A qui (prêter)-vous votre livre ? - (Laisser)-le (s'approcher) de nous - Ne (commencer) pas à vous (disputer) - (Cesser) de (raconter) n'importe quoi, cher ami ! - Vous (m'embarrasser) avec vos questions - Nous pourrions vous (embarrasser) avec nos questions.

② *Fiche 85.* **Écrivez à l'imparfait et au futur simple :**
tu (venir), tu (perdre), tu (dire), tu (crier)
— **Écrivez au passé composé et au passé simple :**
tu (désirer), tu (étonner), tu (prendre)

③ *Fiche 86.* **Faites accorder les verbes en les écrivant à l'imparfait.**
Mon oncle et son voisin (jouer) aux boules - Le succès et l'échec (alterner) souvent - Le succès ou l'échec (l'emporter) tour à tour - L'élève et le professeur (échanger) leurs arguments - J'entendais la pluie ou la grêle qui (crépiter) sur les tuiles — Cet hypocrite, ce fourbe (avoir) des airs de sainteté - Un mot, un geste, un regard (pouvoir) nous trahir - Cette immense bâtisse, cette caserne, ce lieu sinistre nous (impressionner).

④ *Fiche 87.* **Écrivez comme il convient les verbes entre parenthèses.**
Paul et moi (partir, présent indicatif) aussitôt - Jacques et toi (se tromper, imparfait) - Nos amis et vous (être, futur simple) les bienvenus - Nos amis et moi (se préparer, présent de l'indicatif) à partir - Toi et eux (se retrouver, futur simple) demain - Vos amis, notre voisin et toi (passer, impératif) par ce chemin - Jacqueline, Pierre et moi (passer, indicatif présent) par celui-là - Vous et nous (prendre, futur simple) le train ensemble - Ces élèves et ceux-là (sortir, futur simple) d'abord.

⑤ **Synthèse. En utilisant les sujets suivants employez les verbes «prendre», «aller», «donner» au futur simple.**
Sujet : Jacques et Pierre, le médecin ou son remplaçant, elle ou lui, eux et nous, toi et moi, elle et lui, vous et nous.

Exercice ⑥, page 112.

Séance 31 - ACCORD DU VERBE
AVEC SON SUJET
3 - DIFFICULTÉS PARTICULIÈRES (2)

| FICHE 88 | SI LE SUJET EST LE PRONOM RELATIF **QUI** |

*Le verbe s'accorde avec l'**antécédent** de **qui***

Exemple : C'est *moi* qui parl**e** (= « je » parle)
C'est *toi* qui parl**es** (= « tu » parles)
C'est *nous* qui parl**ons** (= « nous » parlons)
C'est *eux* qui parl**ent** (= « ils » parlent)

| FICHE 89 | SI LE SUJET EST **UN NOM COLLECTIF** SUIVI D'UN COMPLÉMENT |

Exemples : *Un essaim de guêpes*
Une dizaine d'enfants

• Si le sujet est un **nom collectif** singulier suivi d'un **complément** au pluriel, c'est **le sens** qui décide si le verbe s'accorde avec l'un ou avec l'autre.

Exemples : *Le cercle de curieux s'élargit*
(c'est le cercle qui s'élargit)
*Une dizaine d'arbres fu**rent** déracinés*
(ce sont les arbres qui furent déracinés)
Une bande de chiens se mit à aboyer ou *se mi**rent** à aboyer*
(deux accords possibles)

| FICHE 90 | **VERBE AU SINGULIER OU VERBE AU PLURIEL ?** |

1) *Le verbe **impersonnel** s'accorde toujours avec **il** :*

Exemples : *Il restait des voyageurs sur le quai*
Il fallait des médicaments d'urgence
Il passait des camions sur la route

2) *Le verbe est **au singulier** s'il a pour sujet :*
— Personne, aucun, nul, rien ...

Exemple : *Rien ne bouge, aucun ne me satisfait*

— On, chacun, chaque (suivi d'un nom), tout homme, tout le monde, plus d'un ...

Exemples : *Chacun se taisait. On apercevait la mer*
Tout le monde attendait. Plus d'un hésitait

3) *Le verbe est **au pluriel** s'il a pour sujet :*
— Plusieurs, tous, certains, quelques-uns, quelques, beaucoup, tous ...

Exemples : *Plusieurs quittèrent la salle*
Beaucoup s'impatientaient

— La plupart, un petit nombre, un certain nombre

Exemple : *La plupart riaient*

| **FICHE 91** | **FAUT-IL ÉCRIRE C'EST OU CE SONT ?** |

• ***Devant les pronoms***, l'usage veut que l'on écrive :
— **C'est** nous, **c'est** vous

Exemple : *C'est nous qui avions raison*

— **Ce sont** eux

Exemple : *Ce sont eux qui gagneront*

• ***Devant les noms***, on écrit généralement :
— **C'est** devant plusieurs noms dont le premier est au singulier

Exemple : *C'est mon voisin et sa femme*

— **Ce sont** devant un nom au pluriel :

Exemple : *Ce sont mes livres*

| **FICHE 92** | **COMMENT INVERSER LE SUJET ?** |

• *Comparez :*

phrase déclarative   phrases interrogatives

$\underset{\text{S}}{\text{Il}}\ \underset{\text{V}}{\text{fait}}\ \text{chaud}$ ⟶ 1. Est-ce qu'$\underset{\text{S}}{\text{il}}\ \underset{\text{V}}{\text{fait}}$ chaud ?

2. $\underset{\text{V}}{\text{Fait}}$ - $\underset{\text{S}}{\text{il}}$ chaud ?

Dans la seconde forme d'interrogation directe *le sujet est inversé* par rapport au verbe.

• ***Remarque 1 :*** Le verbe est relié au pronom sujet qui le suit par un **trait d'union.**

- **Remarque 2 :** Si le verbe se termine par **e** ou par **a** on ajoute un **t de liaison** entre **deux traits d'union** devant *il, elle* ou *on*.

Il a faim ⟶ A-t-il faim?

Elle chante ⟶ Chante-t-elle?

- **Remarque 3 :** On ne place pas de *t* de liaison après le *d*.

Il répond ⟶ Répond-il (prononcer « t-il »)

EXERCICES

① *Fiche 88.* Faites accorder les verbes comme il convient :
C'est moi qui vous le (dire, présent indicatif) - C'est lui qui (vouloir, imparfait) venir - Ce sont eux qui le (prétendre, imparfait) - Pour nous qui (être fatigué, imparfait), cette halte était utile - C'est lui qui t'(informer, futur simple) - Ce sont eux qui t'(informer, futur simple) - Je suis un homme qui (aimer, présent indicatif) la vérité.

② *Fiche 89.* Faites comme il convient l'accord des verbes entre parenthèses :
Une vingtaine de soldats (avancer, imparfait) au pas cadencé - La foule des invités s'(allonger, imparfait) dans la campagne - Une quantité de maisons (être démoli, passé simple) - La bande de manifestants (grossir, imparfait) - Une dizaine de policiers (s'interposer, passé simple).

③ *Fiche 90.* Faites comme il convient l'accord des verbes entre parenthèses :
La plupart (réfléchir, imparfait) en silence - Personne ne (bouger, passé simple) - Rien ne se (passer, imparfait) - On (acheter, passé simple) une boîte de sardines et on l'(ouvrir, passé simple) - Beaucoup (se mettre, passé simple) en grève - Certains (hésiter, imparfait) - Tout le monde (crier, imparfait) - Plus d'un se (demander, imparfait) ce qui allait se passer - Un petit nombre se (rassembler, passé simple).

④ *Fiche 91.* Écrivez « ce sont » ou « c'est » à la place des points :
... Jacques et son ami - ... des poissons rouges - ... nous qui commençons - ... toi et lui qui m'accompagnez - ... des moments difficiles - ... vous qui avez perdu - ... eux qui l'ont dit - ... un vieillard et son chien.

⑤ *Fiche 92.* Transformez les phrases déclaratives suivantes en phrases interrogatives comme dans l'exemple donné :
Exemple : *Il ira vous voir demain* ⟶ *Ira-t-il vous voir demain ?*

Il viendra - On chante - Elle arrive - Il pêche au bord de la rivière - Il croit avoir réussi - Elle descend bientôt - Il arrivera à six heures.

Exercice ⑦, page 113.

Séance 32 - L'INFINITIF ET LES TROIS GROUPES DE VERBES

FICHE 93	LES TROIS GROUPES DE VERBES

On classe les verbes en *trois groupes* :

• **1er groupe**. <u>Tous les verbes en **er**</u> comme **aimer.** Ce groupe rassemble plus de 5 000 verbes.

Exemples : *couper, classer, oser ...*

• **2e groupe**. <u>Tous les verbes en **ir**</u> comme **finir** dont le participe présent est en **-issant**. Au total plus de 300 verbes.

Exemples : *finir, finissant - fournir, fournissant - haïr, haïssant ...*

• **3e groupe**. <u>Tous les autres verbes</u> (près de 400).
　　— le verbe *aller*
　　— quelques verbes en *ir* dont le participe présent est en *ant (courir, partir, dormir, cueillir, tenir ...)*
　　— les verbes en *oir (recevoir, voir, pouvoir, savoir ...)*
　　— les verbes en *re (rendre, prendre, mordre, craindre ...)*

• **Les verbes être et avoir** n'appartiennent à aucun groupe.

EXERCICES

① **Les verbes les plus fréquemment utilisés en français sont les suivants. Précisez à quel groupe appartient chacun.**

faire	falloir	croire	parler
aller	vouloir	mettre	trouver
savoir	venir	passer	donner
pouvoir	arriver	devoir	comprendre

② **Classez les verbes suivants en trois groupes :**

Entendre, fumer, pouvoir, remédier, conclure, secouer, sortir, amincir, châtier, prendre, blanchir, associer, trouver, noircir, partir, recueillir, mordre, unir, venir, démolir, falloir.

③ **Donnez l'infinitif et le groupe de chaque verbe :**

La foule affluait - On conclut à l'accident - Il le suspendit par les pieds - La conversation s'interrompit - Vous comprendrez vite - Il lia les gerbes.

108

TABLEAU A CONSULTER

1) Les verbes en IR

— La plupart s'écrivent **IR** : finir, partir, agir, mourir, nourrir, courir, bâtir, découvrir, endormir, pourrir ...

— Quelques-uns s'écrivent **IRE**

• Les verbes dont le participe présent est en **isant** : suffire, construire, cuire, traduire, dire (contredire, prédire ...)

• Les verbes dont le participe présent est en **ivant** : écrire, décrire, inscrire, circonscrire, transcrire...

• Les verbes suivants : frire, maudire, sourire, rire, bruire.

2) Les verbes en OIR s'écrivent comme **pouvoir**

Exemples : *pouvoir, savoir, devoir ...*

Exceptions : boire, croire

3) Les verbes en ENDRE s'écrivent comme **suspendre**

Exemples : *prendre, rendre, vendre, tendre ...*

Exceptions : épandre, répandre

4) Les verbes en INDRE s'écrivent comme **peindre**

Exemples : *peindre, restreindre, geindre, feindre ...*

Exceptions : contraindre, craindre, plaindre

5) Les verbes en CIER s'écrivent comme **remercier**

Exemples : *remercier, apprécier, gracier*

Exceptions : balbutier, initier, scier

EXERCICES

④ **Complétez par *r* ou *rr* :**
nou...ir, cou...ir, pou...ir, sou...ire, mou...ir

⑤ **Mettez la terminaison qui convient aux verbes suivants :**
— *ir* ou *ire* : d... , endorm... , bât... , écr... , fr... , suff... , part... , mour..., découvr..., sour..., maud...
— *oir* ou *oire* : cr... , rev... , recev... , b... , fall... , dev...
— *endre* ou *andre* : rép... , p... , v... , dét... , ép... , att... , desc...
— *eindre* ou *aindre* : att... , dét... , contr... , cr... , astr... , f... , étr...
— *cier* ou *tier* : appré... , dépré... , balbu... , remer..., ini...

Exercice ⑧, page 113.

Séance 33 - LE PARTICIPE PRÉSENT ET L'ADJECTIF VERBAL

FICHE 95	S OU NON APRÈS UN NOM AU PLURIEL ?

- *Comparez :* **1)** J'ai vu des films **parlants** (**s**)

   2) J'ai vu des élèves **parlant** entre eux (pas d'**s**)

   — En **1** « parlant » est un **adjectif** formé sur le verbe « parler ». Il **s'accorde** avec le nom (comme dans « J'ai vu des films *muets* »).

   — En **2** « parlant » est le **participe présent** du verbe « parler ». Il est **invariable**. Il exprime une action (= en train de parler).

- *Comment éviter la confusion et savoir s'il faut un* **s** *?*

   Essayez de mettre au féminin. Si le mot terminé par *ant* peut se mettre au féminin il s'agit d'un **adjectif** et il s'accorde avec le nom.

   Exemples : *J'ai vu des machines* parlantes (adjectif)

   J'ai vu des jeunes filles parlant *entre elles* (participe présent)

FICHE 96	UNE ORTHOGRAPHE DIFFÉRENTE ?

   Le participe présent (invariable) et l'adjectif verbal (variable) ont parfois une orthographe différente.

- **ant** et **ent** :

	participe présent	adjectif verbal
— *précéder*	précédant	précédent
	Ex. : *Il entra en nous précédant*	Ex. : *La journée précédente*
— *négliger*	négligeant	négligent
	Ex. : *Il se hâtait, négligeant son travail*	Ex. : *Un écolier négligent*
— *exceller*	excellant	excellent
etc.		

- **Les verbes en « -guer »** gardent le **u** de l'infinitif dans toute leur conjugaison, donc au participe présent.

	participe présent	adjectif verbal
— *naviguer*	naviguant	navigant *(le personnel navigant)*
— *fatiguer*	fatiguant	fatigant *(un travail fatigant)*

- **Les verbes en « -quer »** (voir fiche 136)

EXERCICES

(1) Faites ou non l'accord en précisant chaque fois s'il s'agit d'un participe présent ou d'un adjectif verbal.

Ce sont des événements (étonnant) - Ils parcoururent le monde, (étonnant) chacun par leurs exploits - Je me suis promené dans les prés (environnant) la maison - Je me suis promené dans les prés (environnant) - Ce sont des terrains (gluant) - J'ai vu les blessés (râlant) de douleur - Ils restaient là (tremblant) de crainte - Des chiens apparurent, (grondant) à notre approche - J'ai vu, sous la pluie, les toits (luisant) - Voici des médicaments (calmant) la douleur - Il tint des propos (apaisant).

(2) Voici des adjectifs verbaux. Pour chacun notez à l'infinitif le verbe dont il est tiré et le participe présent correspondant.

négligent - précédent - adhérent - navigant - fatigant - intrigant - convaincant - vacant - provocant - communicant - suffocant.

(3) Associez en les accordant les adjectifs verbaux de l'exercice précédent aux noms suivants :

les journées - des apprentis - des matières - des travaux - des manœuvres - des personnels - des places - des poses - une atmosphère - des avocats - des vases.

(4) Employez dans de courtes phrases :

fatigant et fatiguant - négligent et négligeant - naviguant et navigant - précédent et précédant - fabricant et fabriquant.

Exercice (9), page 113.

Les adverbes

► Revoir : *fiches 79 à 81.*

① **Accordez ou non les mots entre parenthèses :**

Ces fleurs sentent (bon) - Ces vieux outils ne sont (bon) à rien - Ils couraient (vite) - Nous ne chantions pas (juste) - Ces denrées se vendent (cher) - Tous les hommes (debout) écoutaient en silence - Nos amis sont (loin) de nous - Ils sont trop (éloigné) pour entendre - Tous ces objets étaient (pêle-mêle).

② **Formez les adverbes en « ment » correspondants aux adjectifs suivants :**

doux - fier - hardi - immense - précis - cru - continu - obstiné - aisé.

③ **Formez les adverbes en « aman » correspondants aux adjectifs suivants :**

patient - fréquent - savant - prudent - incessant - apparent - pesant - bruyant.

Accord du verbe avec son sujet

► Revoir : *fiches 82 à 92.*

④ **Écrivez les verbes entre parenthèses au présent de l'indicatif :**

Les fruits (pourrir) - Nous (descendre) à cette station - Vous les (prendre) - Nous les (prendre) - Ils nous (suivre) - Nous vous les (offrir) - Vous nous les (envoyer) - Toutes les maisons de ce vieux quartier (sembler) désertes - Le cri des mouettes et des hirondelles (percer) la nuit - Dans le jardin (s'élever) deux grands pins - Les troncs que (charrier) la rivière (venir) buter contre la rive - Où (aller)-vous ? - Quand nous (raconter)-vous votre histoire ?

⑤ **Accordez le verbe quand il le faut :**

Je crois avoir vu mes amis (partir) - Ils (partir) l'un après l'autre - (Laisser)-le s'(approcher) de nous - Vous m'(embarrasser) avec votre curiosité - Nous pourrions vous (embarrasser) avec nos questions.

⑥ **Écrivez comme il convient les verbes entre parenthèses :**

Tu (demander, imparfait) - tu (avoir, présent) - tu (penser, présent) - tu (désirer, futur simple).

Jacques et Paul (échanger, imparfait) leurs impressions - L'un et l'autre (venir, futur simple) nous voir - Il faut que l'un ou l'autre (céder, présent).

Nos voisins et moi (sortir, présent) ensemble - Vous et nous (achever, futur) ce travail - Toi et tes amis (sortir, futur) les premiers - André et nous (préparer, présent) une surprise.

(7) **Accordez les verbes comme il convient :**

C'est lui qui (avoir, présent) raison - Ceux qui (avoir terminé, présent) peuvent sortir - Les deux hommes qui (frapper, présent) à la porte me (être, présent) inconnus.

La foule des curieux (s'épaissir, imparfait) - Une vingtaine de maisons (être démoli, passé composé) - La plupart (s'enfuir, passé simple) - Beaucoup (regretter, imparfait) que rien ne se (passer, présent) - Un petit nombre nous (accompagner, futur).

Ce (être, présent) nous qui (avoir, présent) gagné - Ce (être, imparfait) eux qui nous (suivre, imparfait) - Ce (être, présent) mon oncle et son camarade.

Verbes à l'infinitif, participe présent, adjectif verbal

► Revoir : *fiches 93 à 96.*

(8) **Terminez les verbes suivants :**
— par *ir* ou *ire* : bât..., écr..., suff..., mour..., pourr..., sour...
— par *endre* ou *andre* : rép..., v..., repr..., dét...
— par *eindre* ou *aindre* : cr..., t..., att..., f..., pl...
— *par cier* ou *tier* : appré..., balbu..., ini..., remer..., gra...

(9) **Faites ou non l'accord et précisez s'il s'agit d'un participe présent ou d'un adjectif verbal.**

Des nouvelles (fracassant) - Ils entrèrent (fracassant) tout sur leur passage - Nous apercevions sous la lune des étangs (luisant) - J'écoutais les blessés (râlant) de douleur - Voici quelques médicaments (apaisant) les maux de tête - Il tint des propos (apaisant).

FICHE 97	PARTICIPE PASSÉ EN **É** OU INFINITÍF EN **ER** ?

• Exemples :

J'ai mangé la pomme   *Il faut manger la pomme*

mordu	• même son final	mordre
pris	• autre orthographe	prendre
cueilli		cueillir
vendu		vendre

• *Pour éviter la confusion remplacez mentalement le verbe du 1er groupe par* **un verbe du 2e ou du 3e groupe.**

    Si vous pouvez remplacer par un infinitif (mordre, perdre…), il s'agit bien de l'infinitif en **ER**. Si vous pouvez remplacer par un participe passé (mordu, perdu…) il s'agit du participe passé en **É**.

FICHE 98	**PARTICIPE PASSÉ** OU **VERBE CONJUGUÉ** ?

• *participe passé en* **IS** ⟶ *ou verbe en* **IT** ?

    Exemple : *L'animal est* **pris**   Exemple : *Il* **prit** *l'animal*
                                                      ⟶ Il prenait l'animal

• *participe passé en* **I** ⟶ *ou verbe en* **IT, IS** ?

    Exemple : *Le mur est* **démoli**   Exemple : *Il* **démolit** *le mur*
                                                       Tu **démolis** *le mur*
                                                       ⟶ Il démolissait le mur

• *participe passé en* **U** ⟶ *ou verbe en* **UT, US** ?

    Exemple : *Le texte est bien* **lu**   Exemple : *Il* **lut** *le texte*
                                                       Tu **lus** *le texte*
                                                       ⟶ Il lisait le texte

• même son final
• autre orthographe

EXERCICES

① **Écrivez le verbe au participe passé ou à l'infinitif :**

Ce chauffard a failli (écraser) un piéton - Le pauvre chien a été (écraser) - Un récit bien (raconter) peut (passionner) les auditeurs - Il faut (aller) très vite pour (arriver) à temps - Il nous a (raconter) une histoire amusante - Nous voulons l'(aider) - Il est (aller) récemment à Paris - J'ai beau (crier) personne ne vient m'(aider) - Ce meuble a été (transporter) par deux déménageurs - Il s'agit de (transporter) ce meuble sans l'(abîmer).

② **Ajoutez, quand il le faut, la terminaison nécessaire :**

Il fini... son travail - Il a fini... son travail - Il est parti... depuis une heure - Tu parti... trop tôt pour voir la fin - Il nourri... deux chiens et trois chats - Il est bien nourri... à la pension - Nous avons mi... nos vêtements neufs - Il nous mi... en garde - Jacques lui promi... d'aller le voir - J'ai promi... à Jacques d'aller le voir - Il du... recommencer deux fois - Il a du... se tromper de chemin - Tu reçu..., ce jour-là, une lettre sympathique - Tu as bien reçu... tes amis - Je reconnu... que j'avais tort - J'ai reconnu... que j'avais tort.

③ **Synthèse. Accordez comme il convient :**

— Il se laissera (entraîner) - Il fut (entraîner) par la foule - Il faut (aller) voir ce film - Il est (aller) voir ce film - Il est nécessaire (d'encourager) les inventeurs - Un passant m'a (arrêter) dans la rue pour me (demander) où était la gare.

— Elle (pri...) peur - Elle a (pri...) peur - Pierre (lu...) attentivement la lettre - Pierre l'a (lu...) - Il a (fini...) son travail - Il (fini...) son travail - Le plombier (du...) recommencer - Le plombier a (du...) recommencer.

Séance 36 - LE PARTICIPE PASSÉ
EMPLOYÉ COMME ADJECTIF

□ **Test personnel** *(au brouillon)*

1) Notez le participe passé des verbes suivants : prendre, feindre, craindre, interdire, soumettre, peindre, acquérir, mouvoir, devoir, dissoudre, conclure.

2) Accordez comme il convient : (Étendu) dans l'herbe, ils regardaient les étoiles - Aussitôt (arrivé), Jacques et sa sœur rangeaient leurs affaires - La substance (dissous) dans cette eau - Elles criaient en appelant leurs chiens, (affolé) par les flammes et les yeux (noyé) de larmes.

Corrigé

2) Étendus, arrivés, dissoute, affolées, noyés.

1) Pris, feint, craint, interdit, soumis, peint, acquis, mû, dû, dissous, conclu.

► *Si vous avez commis* deux fautes ou plus *cette leçon vous est nécessaire.*

► *Terminaison des participes passés au masculin singulier*

1 OBSERVEZ LES EXPRESSIONS SUIVANTES

a - un fruit cuit - une viande cuite
b - un jardin clos - une pièce close
c - un lieu perdu - une somme perdue
d - un animal redouté - une bête redoutée

2 RÉFLÉCHISSEZ ET EXERCEZ-VOUS

① **Dans les quatre exemples *a, b, c, d*, quels sont les participes passés qui comportent au *masculin* une lettre finale qui ne s'entend pas ? L'entend-on dans le même participe passé au *féminin* ?**

② **Voici des participes passés au féminin. Mettez-les au masculin singulier.**

Exemple : *Elle est couverte de bleus* → *Il est couvert de bleus*

116

La reine fut conduite au palais - Cette sculpture est remarquablement faite - La discussion est close - La leçon doit être apprise - Cette gravure vous est offerte gratuitement - L'affaire est conclue - Cette citation est extraite du premier ouvrage - Elle est guérie - La négociation a été interrompue - La ville fut reconstruite après la guerre - C'est une bête soumise - Cette peinture fut acquise par le musée du Louvre.

③ **Écrivez le participe passé au masculin singulier et justifiez sa terminaison en indiquant sa forme au féminin.**

Exemple : *Le pont a été détruit ⟶ Une maison détruite*

Le pont a été (détruire) - Nous avons (obtenir) une récompense - J'ai (joindre) votre ami par téléphone - Je suis (mourir) de fatigue - Le service est (comprendre) dans le prix (fixer) - Il a (perdre) sa fortune - Le stationnement est (interdire) - Le ciel est (couvrir).

④ **Voici des verbes à l'infinitif. Écrivez le participe passé de chacun d'eux au masculin singulier. Puis classez ces participes dans la colonne correspondant à la lettre finale (tableau à reproduire au brouillon).**

— Défaire, mordre, subir, avoir, vivre, bouillir, conclure, coudre, apprendre, acquérir, démolir, offrir, découvrir, éteindre, aimer, résoudre, effacer, peindre, haïr, prétendre.

Exemple :

é	u	i	s	t
gagné	vu	ravi	soumis	contraint
...	...	...	...	...

3 BILAN RÉCAPITULATIF

FICHE 99	LETTRE FINALE DU PARTICIPE PASSÉ AU MASCULIN SINGULIER

— *Pour trouver la lettre finale d'un participe passé au masculin singulier, il suffit de le mettre au féminin.*

Exemple : *un passage interdit* (il faut un *t* puisqu'on dit au féminin : une sortie interdi*te*)

• *Deux exceptions :* - un corps *dissous*   une substance *dissoute*
                           - un coupable *absous*   une coupable *absoute*

FICHE 100	LES PARTICIPES PASSÉS DE DEVOIR, MOUVOIR, CROÎTRE

— **Particularités :** Les participes passés des trois verbes suivants prennent un accent circonflexe au masculin singulier :

      Devoir   : Il a dû partir (≠ voici *du* pain).
      Mouvoir : Cet appareil est mû par la force électrique.
      Croître : Cet arbre a crû très vite (≠ j'ai *cru* le voir).

— **Remarque :** Cet accent circonflexe disparaît au féminin et au pluriel.

      Exemple : La somme due, les sommes dues, les intérêts dus.

Exercices d'application

— Séance 36 : exercices ②, ③ et ④, pages 116-117.
— Séance 40 : exercice ①, page 128.

▶ *Accord du participe passé employé sans auxiliaire*

1   OBSERVEZ

- *adjectif :* un vêtement clair, une chemise claire
      des vêtements clairs, des chemises claires
- *participe :* un objet perdu, une clé perdue
      des objets perdus, des clés perdues

2   RÉFLÉCHISSEZ ET EXERCEZ-VOUS

⑤ **Comparez l'accord de l'adjectif qualificatif** *clair* **et du participe passé** *perdu.* **Qu'en concluez-vous ?**

⑥ **Passez de l'infinitif au participe passé comme dans l'exemple donné.**

    Exemple : *Écrire une lettre* → *une lettre écrite*

    Occuper deux places - rendre les livres - recevoir des colis - découvrir des réponses - prendre des décisions - résoudre une difficulté - conclure un marché - inclure un document - acquérir des propriétés - moudre des grains - coudre des vêtements.

⑦ **Écrivez le participe passé des verbes entre parenthèses :**

Sur la terre (durcir) par le froid erraient des bêtes (abandonner) - Le chat et le chien dormaient au soleil, (aplatir) dans l'herbe et (repaître) de nourriture - Aussitôt (arriver), leurs bagages (défaire) et leurs toilettes (changer), elles préparaient le repas - (Jeter) au sol par le vent, les feuilles gisaient dans la boue - (Asseoir) sur de larges fauteuils, ces dames écoutaient le conférencier.

3 BILAN RÉCAPITULATIF

FICHE 101	ACCORD DU PARTICIPE PASSÉ EMPLOYÉ SANS AUXILIAIRE

• *Le participe passé employé sans auxiliaire s'accorde comme* **un adjectif** *avec le* **nom** *auquel il se rapporte.*

Exemples : *un texte écrit en anglais, des lettres écrites en anglais.*
un résumé appris, une leçon apprise.

• *N'oubliez pas l'accord :*

— si le participe passé est *au début de la phrase*
Exemple : *Jetées au sol par le vent, les feuilles gisaient dans la boue ;*
— si le participe passé est *éloigné du nom* (ou du pronom) auquel il se rapporte
Exemple : *Elles pleuraient en silence, désespérées par l'événement.*

Exercices d'application

— Séance 36 : exercices ⑥ et ⑦, pages 118-119.
— Séance 40 : exercice ④, page 128.

⑧ **Formez les participes passés des verbes suivants :**

couvrir, prendre, résoudre, détruire, surprendre, vouloir, dissoudre, répandre, permettre, soumettre, devoir, étendre.
— **Employez chacun d'eux avec un nom au féminin pluriel.**

Exemple : *des casseroles couvertes*

Séance 37 - LE PARTICIPE PASSÉ
EMPLOYÉ AVEC « ÊTRE »

□ **Test personnel** *(au brouillon)*

Accordez comme il convient le participe entre parenthèses :

Ils ont été (attendu) - Ces affaires avaient été (conclu) par nos amis - Elles paraissent très (étonné) - Les fenêtres et les volets ont été (ouvert) - Les cahiers et les feuilles ont été (détrempé) par la pluie - Nous fûmes sévèrement (puni).

Corrigé

attendus, conclues, étonnées, ouverts, détrempés, punis.

▶ *Si vous avez commis* une faute ou plus *cette leçon vous est nécessaire.*

▋1 OBSERVEZ LES PHRASES SUIVANTES

a - Les maisons sont abattu**es** par le bulldozer
b - Notre voisine fut surpris**e** à notre arrivée
c - Les coureurs ont été fatigu**és**
d - Demains ces fleurs seront fan**ées**

▋2 RÉFLÉCHISSEZ ET EXERCEZ-VOUS

① **Écrivez au brouillon le participe passé de chaque phrase *a*, *b*, *c*, *d* au masculin singulier. Précisez ensuite quelle est la terminaison qui a été ajoutée. Quel est le mot de la phrase qui la détermine ? Quelle est la fonction de ce mot ?**

② **Déterminez dans chaque phrase le groupe sujet et le groupe du verbe.**

Exemple : | *les maisons* | *sont abattues* |

        groupe sujet groupe verbe

③ **Isolez dans le groupe du verbe le ou les éléments qui s'ajoutent au participe passé. Il s'agit de la forme de quel verbe ? A quel temps ?**

④ **Conjuguez le verbe *être* au présent de l'indicatif, à l'imparfait, au passé simple ; puis au passé composé et au plus-que-parfait. (Voir tableau page 248.)**

Dans ces deux derniers temps le verbe *être* se conjugue avec quel auxiliaire ?

⑤ **Conjuguez au passé composé :**

aller au cinéma, s'habiller en hâte, partir en vacances.

⑥ **Conjuguez au futur simple :**

être perdu, être fatigué, être étonné.

⑦ **Dans les phrases *a, b, c, d* remplacez le groupe sujet par un groupe d'un autre nombre puis d'un autre genre.**

Exemples : *Les maisons sont abattues* ⟶ *La maison est abattue*
Les murs sont abattus ⟶ *Le mur est abattu*

— **Conclusion : quelles modifications constatez-vous ?**

⑧ **Écrivez comme il convient les participes passés entre parenthèses :**

Les propositions ont été (adopter) en Conseil des Ministres - Les parlementaires seront (convoquer) dans les jours prochains - Des explications vous seront (fournir) - Nous sommes (partir) avant la fin - Ils sont (attendre) avec impatience - Les affaires ont été (vendre) - Les chaussures avaient été (détremper) par la pluie.

⑨ **Écrivez au pluriel :**

Le toit avait été arraché par le vent - Le store fut baissé - Elle a été surprise par votre arrivée - Cet ouvrier semble fatigué - Elle a été engagée comme serveuse - je suis parti dès l'aube.

⑩ **Écrivez chacune de ces phrases à la forme passive comme dans l'exemple proposé :**

Mon oncle a repeint les volets ⟶ *Les volets ont été repeints par mon oncle*

Éliane a cueilli ces fleurs - L'employeur a embauché deux ouvriers - Jacques surveillera les chiens - La ménagère préparait de bons plats - L'architecte construira notre maison.

---

3 | **BILAN RÉCAPITULATIF**

| FICHE 102 | ACCORD DU PARTICIPE PASSÉ EMPLOYÉ AVEC « ÊTRE » |

• *Le participe passé employé avec l'auxiliaire **ÊTRE** s'accorde en genre et en nombre avec le **sujet** du verbe.*

Exemple : *Le* plafond ⟨a été⟩ *repeint*   (masculin-singulier)
être

La fenêtre *a été* *repeinte*   (féminin-singulier)
Les fenêtres *ont été repeintes*   (féminin-pluriel)

121

- *Il faut donc :*

1) S'assurer qu'il s'agit bien de l'auxiliaire «être»
Avoir + été = auxiliaire *être* aux temps composés (J'ai été, j'avais été...).

2) Chercher le sujet.

3) Accorder le participe passé.

FICHE 103 | REMARQUES PARTICULIÈRES

- Avec les verbes *rester, sembler, devenir, paraître*, le participe passé s'accorde comme avec l'auxiliaire *être*.

Exemple : *Ces maisons semblent abandonnées*

- *Si le verbe a plusieurs sujets dont l'un est au masculin, le participe passé est au masculin pluriel.*

Exemple : Les fenêtres *et les* volets *ont été ouverts*

Exercices d'application

— Séance 37 : exercices ⑧, ⑨ et ⑩ , page 121.
— Séance 40 : exercice ⑤, page 128.

- **Rappel important**

  Avant d'accorder un participe passé :
  1) Cherchez avec quel auxiliaire il est employé (être ou avoir).

  2) Remémorez-vous la règle d'accord correspondante :
  — avec **être** : *fiche 102*
  — avec **avoir** : *fiche 104* et *fiche 105*.

Séance 38 - LE PARTICIPE PASSÉ EMPLOYÉ AVEC « AVOIR »

☐ **Test personnel** *(au brouillon)*

Accordez comme il convient le participe entre parenthèses :

Ils ont (trouvé) des fleurs et les ont (cueilli) - Les haricots que vous avez (semé) ont (poussé) - Des fruits, j'en ai trop (mangé) - Ces acrobates sont plus habiles que nous ne l'aurions (cru) - Voici les personnes que j'ai (vu) sortir - Si vous saviez les remèdes qu'il a (fallu) pour le guérir ! - Ces fleurs, je n'en avais encore jamais (senti) d'aussi (parfumé).

Corrigé

trouvé, cueillies, semés, poussé, mangé, cru, vu, fallu, senti, parfumées.

► *Si vous avez commis* deux fautes ou plus *cette leçon vous est nécessaire.*

1 OBSERVEZ LES PHRASES SUIVANTES

a - Nous [sommes] perdu**s** - Nous [avons] perd**u**

        être   avoir

b - Ils ont perd**u**   ⟶ pas d'accord
    Ils ont perd**u** leurs clés   ⟶ pas d'accord

c - Voici les *clés* qu'ils ont perd**ues** ⟶ accord
   Il *les* ont perd**ues**, en effet   ⟶ accord

2 RÉFLÉCHISSEZ ET EXERCEZ-VOUS

① Dans la série *a* : le participe passé « perdu » s'accorde avec le sujet du verbe s'il est employé avec quel auxiliaire ?

② Dans la série *c* avec quel mot de la phrase le participe passé (employé avec l'auxiliaire *avoir*) s'accorde-t-il ? Quelle est la fonction de ce mot dans la phrase ?

③ Pourquoi l'accord n'a-t-il pas lieu dans les phrases de la série *b* ?

④ Conjuguez au passé composé : perdre, suivre, donner. Conjuguez ces mêmes verbes au plus-que-parfait.

(5) **Écrivez correctement les participes passés :**

Nous sommes (fatiguer) - Ils nous ont (fatiguer) avec leurs discours - Elles sont (étonner) - Elles avaient (étonner) nos amis - Elles se sont parfaitement (comprendre) - Elles ont parfaitement (comprendre).

(6) **Écrivez correctement les participes passés :**

Nous avons (cueillir) des fleurs - Les fleurs que nous avons (cueillir) sont belles - Les arbres que tu as (planter) ont (grandir) - Il a bien (apprendre) ses leçons mais les a-t-il (comprendre) - J'ai (garder) en mémoire les histoires qu'il m'avait (raconter) - La chanson qu'elle a (interpréter) a (obtenir) un grand succès.

(7) **Refaites la phrase en mettant au pluriel les mots entre parenthèses :**

J'aime (la chemise) que vous avez achetée - (Quel spectacle) avez-vous préféré ? - Voici (le cadeau) que je vous ai apporté - (Votre ami) ? Non, je ne l'ai pas vu - C'est (une maison) que le feu a détruite - Nous avons construit (une maison).

3 | BILAN RÉCAPITULATIF

FICHE 104	ACCORD DU PARTICIPE PASSÉ EMPLOYÉ AVEC « AVOIR »

• *Le participe passé employé avec l'auxiliaire **AVOIR** ne s'accorde jamais avec le sujet du verbe.*

    Ils *sont* per**dus**   Ils *ont* perdu
    être = accord   **avoir** = pas d'accord

• *Le participe passé employé avec l'auxiliaire **AVOIR** s'accorde avec **le complément d'objet direct** si ce complément est placé **avant** le participe passé.*

  — Ils ont perd**u** ⟶ pas de COD = pas d'accord
  — Ils ont perd**u** leurs *clés* ⟶ COD après = pas d'accord
  — Les *clés* qu'ils ont perd**ues** ⟶ COD **avant** = **accord**

• *Moyen pratique :* Cherchez « *Ce qui est* » perdu (vu, cueilli...) et accordez si la réponse est placée *avant* le participe passé. On peut aussi poser la question « *qui ? quoi ?* » (Ils ont perdu... quoi ?)

Exercices d'application

— Séance 38 : exercices (4), (5), (6) et (7), pages 123-124.
— Séance 40 : exercices (6) et (9), page 129.

FICHE 105 | CAS PARTICULIERS

Le participe passé employé avec *avoir* reste *invariable*.

1) *Si le complément d'objet direct est le pronom en.*

Exemple : *Des cerises, j'en ai mangé*

2) *Si le complément d'objet direct est le pronom le qui remplace toute une proposition.*

Exemple : *Ces gens sont plus rusés que je ne l'aurais pensé*
(J'aurais pensé ... *«le»* = qu'ils étaient plus rusés)

3) *Si le participe passé est suivi immédiatement d'un infinitif.*

Exemples : *Voici les amis que j'ai entendu chanter*
*Voici les airs que j'ai entendu chanter**

4) *S'il s'agit du participe passé d'un verbe impersonnel* («il» ne désigne pas un sujet réel).

Exemples : *Les averses qu'il y a eu ...*
Les soins qu'il a fallu ...
Les froids qu'il a fait...

* L'arrêté de 1976 tolère que le participe passé reste invariable dans les deux cas.

Exercices complémentaires (cas particuliers)

⑧ Faites comme il convient l'accord des participes passés :

Ils étaient plus forts que je ne l'avais (croire) - Je ne les avais pas (cru) - Des occasions, nous en avons (perdu) - Son intelligence est encore plus vive que je ne l'aurais (penser) - Des paysages aussi vastes, il n'en avait encore jamais (voir) - Ces paysages, il ne les avait encore jamais (voir).

⑨ Faites comme il convient l'accord des participes passés :

Je les ai (entendre) discuter - Ce sont ces fruits que j'ai (voulu) prendre - Les cultivateurs que j'avais (voir) semer s'y prenaient autrement - Je les ai déjà (voir) danser - Vous ne savez pas les efforts qu'il m'a (falloir) - Après les bruits qu'il a (courir) sur ces deux hommes je ne les ai plus (fréquenter) - Les froids qu'il y a (avoir) ont (abîmer) les récoltes et les ont parfois (détruire).

Séance 39 - LE PARTICIPE PASSÉ DES VERBES PRONOMINAUX

FICHE 106	RAPPEL SUR LES VERBES PRONOMINAUX

1) Un verbe pronominal est un verbe qui se conjugue avec *deux pronoms de même personne.*

Exemples : *il | s'enfuit* (verbe « s'enfuir ») ; *je | me lève* (verbe « se lever »).
      1| 2   1| 2

2) Aux temps composés le verbe pronominal se construit toujours avec *l'auxiliaire être.*

Exemples : *il s'est enfui ; je m'étais levé* ...

3) On peut distinguer *deux catégories de verbes pronominaux.*

• *Les verbes toujours pronominaux* (ou : essentiellement pronominaux) comme s'enfuir, s'évanouir, s'envoler, s'emparer, se souvenir ...
Ils ne peuvent être employés qu'à cette forme.

• *Les verbes occasionnellement pronominaux* (on dit aussi : accidentellement pronominaux) comme se laver, s'habiller, s'éveiller ...
Ils peuvent être employés également à la forme non pronominale : elle lave le linge, elle éveille les enfants, elle les habille ...

FICHE 107	ACCORD DU PARTICIPE PASSÉ DES VERBES PRONOMINAUX

• *Le participe passé **des verbes essentiellement pronominaux** s'accorde en genre et en nombre avec le sujet du verbe.*

Exemples : Deux femmes *s'étaient évanouies* (sujet = deux femmes)
Ils *se sont enfuis* (sujet = ils)

• *Le participe passé **des verbes accidentellement pronominaux** s'accorde comme s'il était employé avec l'auxiliaire AVOIR* (c'est-à-dire avec le complément d'objet direct si ce complément est placé avant le participe).

Exemples : Ils se sont lavé les mains (Laver quoi ? *les mains* = après)
Elles se sont baign**ées** (Baigner qui ? *se*, mis pour elles = avant)
Les enfants se sont battus (Battre qui ? eux-mêmes = avant)

FICHE 108	REMARQUES PARTICULIÈRES

1) *Certains verbes pronominaux n'ont jamais de* **complément d'objet direct**. *Ils sont donc invariables.*

Exemples : *Les années se sont succédé* (on succède à ... : complément d'objet indirect)

Ils se sont parlé (on parle à ... : complément d'objet indirect)

— Autres verbes au participe passé invariable : se nuire, se rire, se plaire, se ressembler ...

2) *Le verbe s'arroger* bien qu'essentiellement pronominal s'accorde comme s'il était employé avec l'auxiliaire *avoir.*

Exemple : *Ils se sont* arrogé *des droits - Les droits qu'ils se sont* arrogés

3) *Si le participe passé est suivi d'un infinitif il peut être considéré comme invariable* (voir remarque 3 de la *fiche 105*).

Exemples : *Ils se sont* laissé *prendre*
Elles se sont fait *transporter*

EXERCICES

① **Conjuguez au passé composé (et précisez si le verbe est essentiellement ou accidentellement pronominal).**

s'évanouir, s'enfuir, se laver, se rencontrer, se souvenir, se perdre.

② **Écrivez correctement les participes passés :**

Ils se sont (lancer) à sa poursuite - Elles s'étaient (battre) - Nous nous sommes (étonner) de son retard - Les fruits se sont bien (vendre) cette année - Ils se sont (succéder) de père en fils dans ce métier - La maison qu'ils se sont (construire) est imposante - Ils se sont (parler) de leurs affaires - Ils se sont (disputer) - Nous nous sommes (téléphoner) à plusieurs reprises - Ils s'étaient (laisser) vivre.

③ **Écrivez correctement les participes passés :**

Les bandits se sont (laisser) prendre sans résistance - Elle s'est (couper) du pain - Les propos qui se sont (échanger) étaient vifs - Ils se sont (arroger) des privilèges abusifs - Nous nous sommes (blesser) accidentellement - Ils s'étaient (nuire) mutuellement par leurs manœuvres.

Exercice ⑧, page 129.

Séance 40 - RÉVISION 7
LES PARTICIPES PASSÉS

Révision des fiches 97 à 101

① **Écrivez au masculin singulier le participe passé de chacun des verbes suivants :**

conclure - faire - clore - prendre - démolir - moudre - lire - cueillir - cuire - détruire - soumettre - interdire - guérir - offrir - apprendre - contraindre - écrire - asseoir.

② **Associez chacun des participes passés précédents à un nom féminin comme dans l'exemple donné :**

Exemple : *une affaire conclue*

③ **Mettez la terminaison qui convient :**

— *é* ou *er* : Nous avons manqu... le train - Nous risquons de manqu... le train - Il nous a racont... des histoires - Nous ne sommes pas venus ici pour racont... des histoires - Il faut song... à partir.

— *s* ou *t* : En nous voyant il pri... peur - Nous sommes surpri... par votre attitude - Il les surpri... en flagrant délit - Il remi... son devoir le jour prévu - On lui a remi... une décoration.

— *u, ut* ou *us* : Il a bien l... - Il voul... sortir avant l'heure - Tu voul... résister - Il a voul... insister - Il d... recommencer.

④ **Écrivez comme il convient le participe passé :**

(Asseoir) sur des chaises, elles tricotaient sans arrêt - A peine leurs bagages (défaire), ils allèrent se reposer, (fatiguer) - (Étendre) sur le sable chaud, elle se dorait au soleil, (étourdir) par le bruit de la mer et le cri des mouettes (affamer).

Révision des fiches 102 à 105

⑤ **Écrivez comme il convient les participes passés en précisant d'abord avec quel auxiliaire il est employé :**

Les arbres ont été (abattre) - Nous avions été (impressionner) par ce spectacle - Ils ont (abandonner) leurs chiens - Les volets ont été (repeindre) - Leurs chiens ont été (abandonner) - Nous sommes (partir) de bonne heure - Toutes les opérations avaient été (régler).

⑥ **Écrivez comme il convient les participes passés :**

Ils nous ont (étonner) avec leur comédie - Nous avons été (étonner) par cette comédie - Les cerises qu'ils ont (cueillir) ont été (vendre) - Elles ont bien (apprendre) leurs leçons mais les ont-elles (comprendre) ? - Ils ont (construit) une immense maison - Des gâteaux, j'en ai trop (manger) - Ces commerçants sont plus habiles que nous ne l'aurions (croire) - Des villes aussi vastes, il n'en avait encore jamais (voir) - Comment s'appellent les villages que nous avons (traverser) ? - Ces fleurs, où les avez-vous (cueillir) ?

Révision des fiches 106 à 108

⑦ **Conjuguez au passé composé :**

s'enfuir - se perdre - se laver.

⑧ **Écrivez correctement les participes passés :**

Elles s'étaient (battre) jusqu'au bout - Nous nous sommes (écrire) chaque semaine - Elles s'étaient (laisser) vivre - Nous nous sommes (aider) mutuellement - Nous nous sommes (nuir) par nos manœuvres maladroites - Ils se sont (blesser) dans un accident - Les privilèges qu'ils se sont (arroger) sont excessifs - Elles se sont (prendre) au jeu - Elles se sont (perdre) - Ils se sont (demander) où nous allions.

Synthèse

⑨ **Écrivez correctement les participes passés :**

Cette région, je l'ai (traverser) à plusieurs reprises - Nous avons bien (connaître) ces deux villes - Leurs propos nous ont (étonner) - Nous sommes (ravir) de vous revoir - Ils ont (perdre) leur calme - Voici les livres que vous nous aviez (prêter) - Ces hommes sont plus intelligents que je ne l'aurais (croire) - Je les ai (entendre) se plaindre - Nous avons été (tromper) - Des histoires pareilles nous n'en avions jamais (entendre) - Vos réclamations nous ont (étonner) - Les récoltes ont été (abîmer) par la pluie - Voici les conseils que je leur ai (donner).

Séance 41 - PARTICULARITÉS DE QUELQUES VERBES DANS LA CONJUGAISON

FICHE 109	VERBES EN -CER ET EN -GER

- *Les verbes en -cer* (commencer, percer...) *prennent une **cédille** sous le c* devant les voyelles **a, o, u** de leur conjugaison afin de garder au *c* le son *« se »*.

Exemples : *il commença - nous perçons...* (fiche 129)

- *Les verbes en -ger* (manger, changer...) *prennent un **e** après le g* devant les voyelles **a** et **o** de leur conjugaison afin de garder au *g* le son *« je »*.

Exemples : *nous mangeons - il changea* (fiche 138)

FICHE 110	VERBES EN -GUER

Les verbes en -**guer** (naviguer, distinguer...) *gardent le **u** après le g de leur infinitif* dans toute leur conjugaison même devant les voyelles **a** et **o**.

Exemples : *il distingua - nous naviguons* (comparer avec fiche 138)

FICHE 111	VERBES EN -ELER

- *Les verbes usuels suivants se conjuguent comme **peler**.*

   *je **pèle** - je cisèle - je dégèle - je congèle - je décèle - je martèle - je modèle - je démantèle - j'écartèle.*

   — *Conjugaison :* je pèle - tu pèles - il pèle - nous pelons - vous pelez - ils pèlent - je pèlerai - ...

   — *Constatons :* Quand le l de ces verbes est suivi, dans la conjugaison, d'un **e muet**, il ne double pas mais le **e** du radical prend un **accent grave**.

- *Tous les autres verbes se conjuguent comme **appeler**.*

   *j'**appelle** - j'amoncelle - je rappelle - je harcelle - je renouvelle - ...*

   — *Conjugaison :* j'appelle - tu appelles, il appelle - nous appelons - vous appelez - ils appellent - j'appellerai - ...

   — *Constatons :* Quand le l de ces verbes est suivi, dans la conjugaison, d'un **e muet**, il **double**.

130

FICHE 112 | VERBES EN -ETER

- *Les verbes usuels suivants se conjuguent comme **acheter**.*

    j'achète - je crochète - je furète - je halète - ....

    — *Conjugaison :* j'achète - tu achètes - il achète - nous achetons - vous achetez - ils achètent - j'achèterai - ...

    — *Constatons :* Quand le **t** de ces verbes est suivi, dans la conjugaison, d'un **e muet** il ne double pas mais le **e** du radical prend un **accent grave**.

- *Tous les autres verbes se conjuguent comme **jeter**.*

    je jette - je projette - je cachette - il volette - ...

    — *Conjugaison :* je jette - tu jettes - il jette - nous jetons - vous jetez - ils jettent - je jetterai - ...

    — *Constatons :* Devant un **e muet** dans la conjugaison le **t** double.

FICHE 113 | VERBES EN -AYER ET AUTRES VERBES EN -YER

- *Les verbes en -**ayer*** (payer, balayer, essayer...) *peuvent conserver le **y** tout au long de leur conjugaison* ou le remplacer par un **i** devant un **e muet**.

    Exemples : *il paye* ou : *il paie*
    il balayera ou : *il balaiera*

    — Seul **rayer** garde toujours le **y** : *il raye, il rayera*

- *Les autres verbes en -**yer*** (nettoyer, appuyer, aboyer...) *changent le **y** en **i** devant un **e muet**.*

    Exemple : *il nettoie - nous nettoierons*

FICHE 114 | LE VERBE **CRÉER** ET LE VERBE **HAÏR**

- *Les verbes en **éer** comme **créer*** (agréer, suppléer...) *conservent le **é** dans toute leur conjugaison.* Ils peuvent donc comporter deux **e**.

    Exemple : *Je crée - tu crées*
    Et même trois **e** au participe passé, féminin.

    Exemple : *L'Académie française a été **créée** par Richelieu.*

- *Le verbe **haïr** conserve un **tréma** sur le **i** dans toute sa conjugaison :*
    — sauf à l'indicatif présent singulier : Je hais, tu hais, il hait (mais : nous haïssons, vous haïssez, ils haïssent) ;
    — et sauf à l'impératif (2e personne du singulier) : hais (mais : haïssons, haïssez).

• *Les verbes en **aître** (comme **connaître**) et les verbes en **oître*** (comme **croître**) prennent un **accent circonflexe** sur l'**i** de leur racine *s'il est suivi d'un **t**.*

Exemples : *Je connais - il connaît - il connaissait - il connaîtrait*
Cet arbre croît - cet arbre croissait - cet arbre croîtrait

• *Il en est de même pour le verbe **plaire*** et ses composés (déplaire, complaire...).

Exemple : *il déplaît - il déplaisait - ...*

EXERCICES

① *Fiche 109.* **Complétez les verbes suivants :**

— **par c ou ç :** Nous vous remer... ions - Nous commen...ons - Vous les pla...ez ici - Pla...ons-les plutôt-là - Nous per...ons le mur - Mais pourquoi le per...ez-vous ? - Il tra...ait la perpendiculaire - Il se balan...ait sur sa chaise - Nous le balan...âmes par-dessus bord - Il per...ut un bruit étrange.

— **par g ou ge :** Ils se ran...èrent devant la porte en silence - Nous échan...ions quelques paroles - Nous échan...âmes quelques paroles - Le professeur corri...ait les devoirs - Les cavaliers ména...aient leurs montures - Nous ne vous déran...ons pas pour rien - Il se char...a de lui répondre.

② *Fiches 109 et 110.* **Conjuguez à l'imparfait et au présent de l'indicatif les verbes :**

commencer, changer, distinguer, élaguer.

③ *Fiche 111.* **Conjuguez au présent de l'indicatif et au futur simple les verbes :**

ciseler, déceler, appeler, renouveler.

④ *Fiches 111 et 112.* **Écrivez les verbes entre parenthèses comme il convient :**

Nous avons (renouveler, présent) notre abonnement - Je vous (renouveler, présent) tous mes vœux - Il nous (appeler, présent) à la rescousse - Nous vous (rappeler, présent) notre adresse - Je vous (harceler, futur simple) jusqu'à ce que vous cédiez.

Nous (acheter, présent) quelques meubles à crédit - Nous en (acheter, futur simple) d'autres plus tard - Il (haleter, imparfait) de fureur - Il (fureter, présent) à droite et à gauche - Je (projeter, présent) un grand voyage - Jacques (cacheter, impératif présent) cette enveloppe - Il se (jeter, conditionnel présent) à terre s'il le pouvait - Ils nous (jeter, présent) des pierres.

⑤ *Fiches 112 et 113.* **Conjuguez :**
— **au présent de l'indicatif les verbes :** acheter, balayer, ennuyer.
— **à l'imparfait et au futur simple :** jeter, payer, appuyer, rayer.

⑥ *Fiche 114 et 115.* **Écrivez comme il convient les verbes entre parenthèses :**

Cette entreprise a été (créer) par un ancien cycliste - Nous (créer, futur simple) de nouveaux clubs de jeunes - Paul (connaître, présent) bien mon oncle ; il le (connaître, imparfait) déjà au régiment - Dès que tu le (reconnaître, futur simple) fais-lui signe - D'autres enfants (naître, futur simple) dans cette famille - Ce spectacle me (déplaire, présent) - Cette région nous (plaire, présent) - Il (paraître, présent) fatigué - Il (paraître, imparfait) fatigué.

⑦ *Fiches 114 et 115.* **Conjuguez au présent de l'indicatif et au futur simple les verbes :**

créer, haïr, connaître, plaire, croître.

Verbes-types au présent de l'indicatif

ÊTRE
je suis
tu es
il est
nous sommes
vous êtes
ils sont

AVOIR
j'ai
tu as
il a
nous avons
vous avez
ils ont

FAIRE
je fais
tu fais
il fait
nous faisons
vous faites
ils font

MANGER
je mange
tu manges
il mange
nous mangeons
vous mangez
ils mangent

VENIR
je viens
tu viens
il vient
nous venons
vous venez
ils viennent
(venir et tenir
doublent le *n*)

VOIR
je vois
tu vois
il voit
nous voyons
vous voyez
ils voient

ALLER
je vais
tu vas
il va
nous allons
vous allez
ils vont

DIRE
je dis
tu dis
il dit
nous disons
vous dites
ils disent

POUVOIR
je peux
tu peux
il peut
nous pouvons
vous pouvez
ils peuvent
(à rapprocher : je veux,
je vaux ...)

RÉPONDRE
je réponds
tu réponds
il répond
nous répondons
vous répondez
ils répondent

CRAINDRE
je crains
tu crains
il craint
nous craignons
vous craignez
ils craignent

CONVAINCRE
je convaincs
tu convaincs
il convainc
nous convainquons
vous convainquez
ils convainquent

134

□ **Test personnel** *(au brouillon)*

1) Écrivez à la 1ʳᵉ personne du singulier : mettre, oublier, cueillir, apprendre, peindre, résoudre, battre, valoir, vouloir, répandre.

2) Écrivez à la 2ᵉ personne du pluriel : peindre, plaindre, faire, convaincre.

3) Écrivez à la 1ʳᵉ personne du pluriel : commencer, changer.

Corrigé

3) nous commençons, nous changeons.

2) vous peignez, vous plaignez, vous faites, vous convainquez.

1) je mets, j'oublie, je cueille, j'apprends, je peins, je résous, je bats, je vaux, je veux, je répands.

► *Si vous avez commis* deux fautes ou plus *cette leçon vous est nécessaire.*

► *Être et Avoir*

1 OBSERVEZ

AVOIR	*ÊTRE*
a - J'ai	*a* - Tu es
Je n'ai pas	Tu n'es pas
	Il est
b - C'est moi qui *ai* le livre	*b* - C'est toi qui *es* fatigué
‿‿‿ je	‿‿‿ tu

2 RÉFLÉCHISSEZ ET EXERCEZ-VOUS

① **Certaines formes des verbes *être* et *avoir* peuvent prêter à confusion quand on les entend. Lesquelles ? Pourquoi ?**

② **Comme dans l'exemple donné, écrivez pour chaque phrase l'expression correspondante à l'infinitif.**

Exemple : *Je n'ai pas le temps* ⟶ *avoir le temps*

Tu es curieux - Il n'est pas prêt - Je n'ai pas faim - Tu n'es pas pressé - C'est moi qui ai peur - C'est toi qui es premier - Il est en retard - J'ai une idée.

③ **Conjuguez à toutes les personnes :** J'ai réussi et je suis heureux.

④ **Complétez par *être* ou *avoir* au présent de l'indicatif :**

Comment ne l'...-je pas vu ? - Comme il ... grand ! - J'... cru vous reconnaître - C'est toi qui ... ici ? - C'est moi qui ... crié - Il ... l'heure - Je n'... pas l'heure.

▶ *Les autres verbes*

1	OBSERVEZ LE TABLEAU DE LA PAGE 134 ET RÉFLÉCHISSEZ

⑤ **Écrivez les verbes entre parenthèses au présent de l'indicatif :**

Nous (être) - il (aller) - vous (faire) - nous (manger) - vous (dire) - je (pouvoir) - tu (répondre) - nous (craindre) - il (convaincre) - ils (voir) - nous (voir) - ils (venir).

⑥ **A l'aide du tableau, répondez aux questions suivantes :**

1) A la 2e personne du singulier quelle est la lettre finale de tous les verbes sauf un ?

2) Le verbe *manger* appartient à quel groupe ? Notez ses terminaisons :

e	...	...	ons	...	...

3) Le verbe *sortir* appartient à quel groupe ? Notez ses terminaisons :

s	...	...	ons	...	...

4) Quels sont les verbes du tableau qui ont les mêmes terminaisons que le verbe *sortir* ?

⑦ **Cherchez les verbes du tableau dont certaines terminaisons sont différentes de celles de *manger* ou de *sortir*. Exercez-vous à les conjuguer par écrit.**

⑧ **Conjuguez au présent de l'indicatif les verbes suivants :**

vouloir (voir : pouvoir), mordre (voir : répondre), finir (voir : sortir), tenir (voir : venir), oublier (voir : manger), vaincre (voir : convaincre), apprendre (voir : répondre)

boire (nous buvons, voir : voir), joindre (voir : craindre), cueillir (voir : manger), souffrir (voir : manger)

FICHE 116	LES TERMINAISONS AU PRÉSENT DE L'INDICATIF

Exemple : *je chante, tu chantes, ...*

	je	tu	il	nous	vous	ils
— *1er groupe*	— e	— es	— e	— ons	— ez	— ent
— *autres verbes*	— s	— s	— t			

- *Nota :* Se conjuguent comme les verbes du 1er groupe, certains verbes en **ir** :
  - cueillir, courir, ouvrir et leurs composés ;
  - offrir, souffrir, assaillir, tressaillir.

- *Conclusion : Pour bien écrire un verbe au présent de l'indicatif,* il faut :

  1) Penser à l'infinitif   : oubli/er   cueill/ir
  2) Ajouter la terminaison   j'oubli/e   je cueill/e
        de la personne   tu oubli/es   tu cueill/es

FICHE 117	QUELQUES TERMINAISONS PARTICULIÈRES

- *Il*. On écrit sans **t** à la fin : il va, il vainc, il convainc.

- *Vous*. On écrit : vous faites, vous dites.

- *Ils*. On écrit : ils tiennent, ils viennent (2 n), ils voient (pas de *y*).

- *Vouloir, pouvoir, valoir*. On écrit : je veux, je peux, je vaux
                                     tu veux, tu peux, tu vaux

---

FICHE 118	LES VERBES EN **DRE**

- *Les verbes en **dre*** (répondre, apprendre, suspendre, tordre ...) *conservent le **d*** *au présent de l'indicatif.*

  Exemples : *je réponds, tu réponds, il répond ...*
                   j'apprends, tu apprends, il apprend ...

— **à l'exception** des verbes en -**indre** et en -**soudre** :
peindre : je peins, tu peins, il peint ...
résoudre : je résous, tu résous, il résout ...

• *Les verbes en* **-indre** *s'écrivent avec* **gn** *aux trois personnes du pluriel.*

Exemples : *nous peignons, vous peignez, ils peignent*
nous craignons, vous craignez, ils craignent

| **FICHE 119** | **LES VERBES EN TRE** |

Les verbes en **tre** (mettre, battre, commettre...) *gardent l'un des* **t** *de l'infinitif aux* **deux premières personnes du singulier** :
mettre : je mets, tu mets, il met ...
battre : je bats, tu bats, il bat ...

Exercices d'application

— Séance 42 : exercices ③ à ⑧, page 136.
— Séance 50 : exercice ③, page 160.

⑨ **Synthèse. Écrivez au présent de l'indicatif :**

— Je (battre), tu (mettre), nous (prendre), il (répondre), vous (faire), ils (craindre).

— Je (tressaillir), tu (apprendre), il (craindre), nous (cueillir), vous (vaincre), ils (venir).

— Je (pouvoir), tu (apprendre), il (oublier), nous (craindre), vous (résoudre), ils (feindre).

Verbes-types à l'imparfait

ÊTRE	AVOIR	FAIRE
j'étais	j'avais	je faisais
tu étais	tu avais	tu faisais
il était	il avait	il faisait
nous étions	nous avions	nous faisions
vous étiez	vous aviez	vous faisiez
ils étaient	ils avaient	ils faisaient

ALLER	VOIR	PRENDRE
j'allais	je voyais	je prenais
tu allais	tu voyais	tu prenais
il allait	il voyait	il prenait
nous allions	nous voyions	nous prenions
vous alliez	vous voyiez	vous preniez
ils allaient	ils voyaient	ils prenaient

MANGER	COMMENCER	CRIER
je mangeais	je commençais	je criais
tu mangeais	tu commençais	tu criais
il mangeait	il commençait	il criait
nous mangions	nous commencions	nous criions
vous mangiez	vous commenciez	vous criiez
ils mangeaient	ils commençaient	ils criaient

PAYER	FATIGUER	CONTINUER
je payais	je fatiguais	je continuais
tu payais	tu fatiguais	tu continuais
il payait	il fatiguait	il continuait
nous payions	nous fatiguions	nous continuions
vous payiez	vous fatiguiez	vous continuiez
ils payaient	ils fatiguaient	ils continuaient

☐ **Test personnel** *(au brouillon)*

Écrivez à la 1re personne du pluriel :

oublier, créer, briller, croire, cueillir, payer, gagner, conseiller, louer, vaincre, moudre, crier.

Corrigé

► *Si vous avez commis* deux fautes ou plus *cette leçon vous est nécessaire.*

1 OBSERVEZ ET RÉFLÉCHISSEZ

① Notez les terminaisons communes à tous les verbes à l'imparfait.

ais	......	......	ions	......	......

② **Quelques rappels :**

— **Pourquoi faut-il un** *e* **après le** *g* **de manger à certaines personnes ?** revoir fiche 109.

— **Pourquoi faut-il** *une cédille* **sous le** *c* **de commencer dans quatre des six personnes ?** revoir fiche 109.

— **Pourquoi faut-il écrire** *fatiguer* **avec un** *u* **même devant le** *a* **?** revoir fiche 96.

③ **Conjuguez à l'imparfait :**

ranger (voir : manger), placer (voir : commencer), intriguer (voir : fatiguer), rayer (voir : payer).

④ **Observez le** *i* **(***ions, iez***) de la terminaison après** *nous* **et** *vous***, en particulier pour les verbes** *crier, voir, continuer.*

— **Écrivez à l'imparfait :**

nous (oublier), vous (cueillir), vous (louer), nous (payer), nous (revoir), vous (croire), vous (piailler), nous (ennuyer), nous (plier), vous (prier).

⑤ **Mettez à l'imparfait les verbes entre parenthèses :**

Il (partager) avec ses amis - C'était lui qui le (remplacer) - L'animal blessé (geindre) - Nous (croire) à la victoire - Nous (crier) désespérément - Nous nous (distraire) comme nous le (pouvoir) - L'orage (menacer) depuis le matin - Vous (employer) des moyens déloyaux.

6 Mettez à la 1ʳᵉ personne du singulier puis du pluriel de l'imparfait :

gagner le match - déployer ses forces - aligner ses pions - confier ses secrets - manier un outil - désigner le coupable - signer la paix - conseiller la patience - fouiller les tiroirs - se renseigner sur l'horaire des trains.

2 | BILAN RÉCAPITULATIF

FICHE 120	LES TERMINAISONS DE L'IMPARFAIT

Exemple : *je chantais, tu chantais, ...*

• Tous les verbes à l'imparfait ont la même terminaison.

je	tu	il	nous	vous	ils
-ais	-ais	-ait	-ions	-iez	-aient

• Pour bien écrire les verbes à l'imparfait :

1) *Pensez à toutes les lettres du radical avant d'ajouter la terminaison :*
cré/er : je créais, nous créions, vous créiez
brill/er : je brillais, nous brillions, vous brilliez

2) *N'oubliez pas le i de la terminaison à la 1ʳᵉ et à la 2ᵉ personne du pluriel.*
— En particulier dans les verbes comportant déjà un **i** à la fin du radical :
cri/er : nous criions, vous criiez (deux **i**)

— et dans les verbes comportant **y, ill, gn** :
cueill/ir : nous cueillions, vous cueilliez
pay/er : nous payions, vous payiez
gagn/er : nous gagnions, vous gagniez

Exercices d'application

— Séance 43 : exercices **3** à **6**, pages 140-141.
— Séance 50 : exercices **1** et **4**, page 160.

Verbes-types au futur simple

ÊTRE	AVOIR	FAIRE
je serai	j'aurai	je ferai
tu seras	tu auras	tu feras
il sera	il aura	il fera
nous serons	nous aurons	nous ferons
vous serez	vous aurez	vous ferez
ils seront	ils auront	ils feront

ALLER	COURIR	CRIER
j'irai	je courrai	je crierai
tu iras	tu courras	tu crieras
il ira	il courra	il criera
nous irons	nous courrons	nous crierons
vous irez	vous courrez	vous crierez
ils iront	ils courront	ils crieront

DONNER	FINIR	VENIR
je donnerai	je finirai	je viendrai
tu donneras	tu finiras	tu viendras
il donnera	il finira	il viendra
nous donnerons	nous finirons	nous viendrons
vous donnerez	vous finirez	vous viendrez
ils donneront	ils finiront	ils viendront

POUVOIR	VOIR	ENVOYER
je pourrai	je verrai	j'enverrai
tu pourras	tu verras	tu enverras
il pourra	il verra	il enverra
nous pourrons	nous verrons	nous enverrons
vous pourrez	vous verrez	vous enverrez
ils pourront	ils verront	ils enverront

☐ **Test personnel** *(au brouillon)*

Écrivez à la 1re personne du singulier :

voir, mourir, acquérir, parcourir, ennuyer, crier, oublier, secourir, jouer, conclure, pourvoir.

Corrigé

▶ *Si vous avez commis* deux fautes ou plus *cette leçon vous est nécessaire.*

1 OBSERVEZ ET RÉFLÉCHISSEZ

① **En vous inspirant du tableau de la page précédente, conjuguez au futur simple :**

prendre, sortir, descendre, changer.

② **Cherchez quelles sont les terminaisons communes à tous les verbes du futur.**

rai	...	...	rons	...	...

— **Quelles est la lettre présente au début de chacune de ces terminaisons ?**

③ **Quels sont les verbes du tableau de la page précédente où *l'infinitif* se retrouve entier à toutes les personnes du futur ?**

Exemple : *je manger/ai - tu manger/as*

— **Conjuguez au futur simple :** dormir, plier.

④ **Quels sont les verbes du tableau où l'on retrouve *rr* à toutes les personnes ?**

Exemple : *je cou* $\boxed{rr}$ *ai*

— **Conjuguez au futur simple :** mourir, acquérir, parcourir.

⑤ **Conjuguez les verbes suivants dont nous vous donnons la 1ʳᵉ personne :**

je nettoierai ... - j'appuierai ... - j'emploierai ...

Qu'est devenu l'*y* de l'infinitif ?

⑥ **Écrivez les verbes entre parenthèses au futur simple :**

Il (prendre) le temps - Nous (venir) demain - Ce car (relier) les deux villages - Vous vous (ruer) sur moi - Tu (étudier) cette leçon - Nous (plier) les rideaux - Nous (créer) une association - Nous vous (payer) le voyage - Vous vous (ennuyer) - Ils (conquérir) ces territoires - Nous vous (écrire) - Il (nouer) ce colis - Je (pouvoir) sortir.

FICHE 121	**LES TERMINAISONS DU FUTUR SIMPLE**

Exemple : *je chanterai, tu chanteras, ...*

• Tous les verbes, au futur simple, ont la même terminaison :

Demain	je	tu	il	nous	vous	ils
	-rai	**-ras**	**-ra**	**-rons**	**-rez**	**-ront**

Attention ! *Toujours r au début de la terminaison.*

• Tous les verbes du 1er groupe et beaucoup de verbes du 2e conservent, au futur simple, **l'infinitif en entier**, à toutes les personnes.

Exemples : je *chanterai*, tu *compteras*, il *jouera*, nous *remplirons*, vous *finirez*, ils *surgiront*.

• Un certain nombre de verbes comportent **rr** à toutes les personnes :

pouvoir (je pou**rr**ai) acquérir (nous acque**rr**ons)
voir (tu ve**rr**as) parcourir (vous parcou**rr**ez)
mourir (il mou**rr**a) envoyer (ils enve**rr**ont)

Également : conquérir, accourir, concourir, secourir ...

• Dans les verbes en **-oyer** et en **-uyer** le **y** se change en **i**.

Exemples : *nettoyer (je nettoierai), ennuyer (j'ennuierai)*

• N'oubliez pas le **e** de la terminaison qui ne s'entend pas dans certains verbes en **er**.

Exemples : *je crierai, tu continueras, il pliera nous créerons, vous louerez*

Mais n'en ajoutez pas à d'autres verbes :
— *conclure :* je conclurai (pas de e)
— *pourvoir :* je pourvoirai

Exercices d'application

— Séance 44 : exercices ③ à ⑥, page 143.
— Séance 50 : exercice ⑤, page 161.

Séance 45 - LE CONDITIONNEL PRÉSENT

☐ **Test personnel** *(au brouillon)*

Écrivez à la 1ʳᵉ personne du singulier :

oublier, renvoyer, voir, louer, conclure, mourir, essuyer, conquérir, devoir, prier.

Corrigé

j'oublierais, je renverrais, je verrais, je louerais, je conclurais, je mourrais, j'essuie-rais, je conquerrais, je devrais, je prierais.

➤ *Si vous avez commis* deux fautes ou plus *cette leçon vous est nécessaire.*

1 OBSERVEZ LES VERBES SUIVANTS

Si c'était possible ...

Être	*Avoir*	*Faire*
Je serais	J'aurais	Je ferais
Tu serais	Tu aurais	Tu ferais
Il serait	Il aurait	Il ferait
Nous serions	Nous aurions	Nous ferions
Vous seriez	Vous auriez	Vous feriez
Ils seraient	Ils auraient	Ils feraient

Aller	*Pouvoir*	*Travailler*
J'irais	Je pourrais	Je travaillerais
Tu irais	Tu pourrais	Tu travaillerais
Il irait	Il pourrait	Il travaillerait
Nous irions	Nous pourrions	Nous travaillerions
Vous iriez	Vous pourriez	Vous travailleriez
Ils iraient	Ils pourraient	Ils travailleraient

2 RÉFLÉCHISSEZ ET EXERCEZ-VOUS

① **Continuez la conjugaison à toutes les personnes des verbes suivants au conditionnel présent.**

s'il pleuvait, je prendrais un parapluie ... - si tu me le demandais, je

145

refuserais ... - si je travaillais je réussirais ... - si je voyais des fleurs, je les cueillerais...

② **Notez les terminaisons communes à tous les verbes au conditionnel présent :**

rais	...	...	rions	...	...

a) **Comparez avec les terminaisons du futur simple quels sont les points communs ? Quelles sont les différences ?**

b) **Si vous supprimez le *r* de la terminaison vous obtenez les terminaisons de quel temps de l'indicatif ?**

③ **Écrivez les verbes au conditionnel présent :**

— **avec *je* et *il* :** (si c'était possible) faire le tour du monde - voir tous les pays - aller avec vous - cueillir des roses en hiver - construire une maison - avoir un cheval - partir en Inde.

— **avec *nous* et *vous* :** (si rien ne l'empêchait) acheter la tour Eiffel - plier bagages - accomplir des exploits - balayer nos soucis - jouer avec le vent - élever des chèvres - être pilote.

④ **Mettez la terminaison du futur ou du conditionnel en justifiant votre choix :**

quand tu parleras, je te punirai... - si tu parlais, je te punirai... - s'il s'en allait, je l'oublierai... - Demain, je l'oublierai... - s'il le disait, je le croirai... - s'il le dit, je le croirai... - quand je l'aurai vu, je le croirai... - si j'en avais le courage, j'achèverai... ce travail - si j'en ai le courage, j'achèverai... ce travail.

⑤ **Observez la conjugaison du verbe *pouvoir*. Combien de *r* à toutes les personnes ?**

— **Conjuguez aussi les verbes :** mourir, voir, envoyer, courir.

3 BILAN RÉCAPITULATIF

FICHE 122	LES TERMINAISONS DU CONDITIONNEL PRÉSENT

Exemple : *je chanterais, tu chanterais, ...*

• Au présent du conditionnel tous les verbes prennent les mêmes terminaisons :

Si c'était possible ...	je	tu	il	nous	vous	ils
	-rais	-rais	-rait	-rions	-riez	-raient

146

> — *Toujours un **r** dans la terminaison* comme au futur.
> — Ce sont donc les terminaisons de l'imparfait précédés de **r**.
>
> • Toutes les particularités constatées à l'imparfait se retrouvent au conditionnel présent (voir **fiche 120**).

FICHE 123	FAUT-IL ÉCRIRE : JE CHANTE**RAI** OU JE CHANTE**RAIS** ?

> | *Futur* | *Conditionnel* |
> |---|---|
> | — Je lui *donne**rai*** ce stylo | — Je *donne**rais*** si je le pouvais |
> | ↓ | ↓ |
> | nous lui donne**rons** | nous donne**rions** |
> | — Je *rempli**rai*** mon contrat | — Je le *rempli**rais*** si c'était possible |
> | ↓ | ↓ |
> | nous rempli**rons** | nous rempli**rions** |
>
> • *Moyen pratique : Pour éviter la confusion après* je *entre la terminaison en* -**rai** *et la terminaison en* -**rais**, *remplacez mentalement par* nous.
>
> — Si vous pouvez dire : nous donne**rions** - nous rempli**rions** : c'est le **conditionnel**, donc vous écrivez : je ...**rais**
>
> — Si vous pouvez dire : nous donne**rons** - nous rempli**rons** : c'est le **futur**, donc vous écrivez : je ...**rai**

Exercices d'application

— Séance 45 : exercices ①, ③, ④ et ⑤, pages 145-146.
— Séance 50 : exercices ② et ⑥, pages 160-161.

Séance 46 - LE PASSÉ SIMPLE

Verbes-types au passé simple

ÊTRE	AVOIR	FAIRE
je fus	j'eus	je fis
tu fus	tu eus	tu fis
il fut	il eut	il fit
nous fûmes	nous eûmes	nous fîmes
vous fûtes	vous eûtes	vous fîtes
ils furent	ils eurent	ils firent

ALLER	VOIR	DIRE
j'allai	je vis	je dis
tu allas	tu vis	tu dis
il alla	il vit	il dit
nous allâmes	nous vîmes	nous dîmes
vous allâtes	vous vîtes	vous dîtes
ils allèrent	ils virent	ils dirent

VOULOIR	ARRIVER	VENIR
je voulus	j'arrivai	je vins
tu voulus	tu arrivas	tu vins
il voulut	il arriva	il vint
nous voulûmes	nous arrivâmes	nous vînmes
vous voulûtes	vous arrivâtes	vous vîntes
ils voulurent	ils arrivèrent	ils vinrent

FINIR
je finis
tu finis
il finit
nous finîmes
vous finîtes
ils finirent

☐ **Test personnel** *(au brouillon)*

Écrivez à la 1re personne du pluriel du passé simple :

fuir, tenir, prendre, pouvoir, devenir, recevoir, battre, gagner, croire, paraître.

Corrigé

► *Si vous avez commis* deux fautes ou plus *cette leçon vous est nécessaire.*

---

1   OBSERVEZ ET RÉFLÉCHISSEZ

① **En vous reportant si nécessaire à la page précédente, écrivez au passé simple les verbes entre parenthèses :**

Il (partir), nous (partir), vous (venir), nous (faire), tu (aller), je (arriver), nous (arriver), vous (vouloir), il (vouloir), il (finir), vous (finir), je (aller).

— **A quelles personnes du passé simple y a-t-il toujours un** *accent circonflexe* **?**

② Observez le verbe *arriver* (1er groupe) et notez les terminaisons :

ai	...	...	âmes	...	...

— **Conjuguez ainsi :** secouer, ennuyer, commencer, fabriquer.

③ Observez le verbe *finir* (2e groupe) et notez les terminaisons :

is	...	...	îmes	...	...

— **Conjuguez ainsi :** nourrir, bâtir, remplir (2e groupe)
                      mentir, cueillir, prendre (3e groupe)

④ Observez le verbe *vouloir* (3e groupe) et notez les terminaisons :

us	...	...	ûmes	...	...

— **Conjuguez ainsi :** courir, recevoir, paraître

⑤ Observez le verbe *venir* (3e groupe) et notez les terminaisons (attention à la 1re personne du pluriel) :

ins	...	...	înmes	...	...

— **Conjuguez ainsi :** tenir, revenir, détenir

6 Écrivez la 1ʳᵉ personne du singulier du passé simple des verbes suivants et la 1ʳᵉ personne du pluriel.

payer	finir	pouvoir	venir
aller	offrir	apparaître	tenir
chanter	cueillir	moudre	revenir
oublier	craindre	courir	maintenir
	coudre	croire	devenir
	acquérir	décevoir	survenir
	prendre		

2 BILAN RÉCAPITULATIF

FICHE 124	LES TERMINAISONS DU PASSÉ SIMPLE

• Les terminaisons d'ensemble du passé simple sont les suivantes :

	je	tu	il	nous	vous	ils
1ᵉʳ groupe	**ai**	**as**	**a**	**ˆmes**	**ˆtes**	**rent**
autres verbes	**s**	**s**	**t**			

• *On peut distinguer* plus précisément au passé simple :

— *les verbes en **ai*** (tous les verbes du 1ᵉʳ groupe) :

Exemple : *je chantai, tu chantas, il chanta, nous chantâmes, vous chantâtes, ils chantèrent*

— *les verbes en **is** comme finir :*

Exemple : *je finis, tu finis, il finit, nous finîmes, vous finîtes, ils finirent*

Se conjuguent ainsi : — tous les verbes du 2ᵉ groupe ;
— les verbes : battre, cueillir, suivre, dire, voir, prendre... (et la plupart des verbes en *dre*).

— *les verbes en **us** comme courir :*

Exemple : *je courus, tu courus, il courut, nous courûmes, vous courûtes, ils coururent*

Se conjuguent ainsi : mourir, pouvoir, vouloir, recevoir, paraître...

— *les verbes en **ins** comme tenir, venir* et leurs dérivés :

Exemple : *je tins, tu tins, il tint, nous **tînmes**, vous tîntes, ils tinrent*

• ***Attention !* Accent circonflexe** après *nous* et *vous* mais jamais après *il*.

Exercices d'application

— Séance 46 : exercices ① à ⑥, pages 149-150.
— Séance 50 : exercice ⑦, page 161.

Séance 47 - LE SUBJONCTIF PRÉSENT

Verbes-types au présent du subjonctif

ÊTRE	AVOIR	FAIRE
que je sois	que j'aie	que je fasse
tu sois	tu aies	tu fasses
il soit	il ait	il fasse
nous soyons	nous ayons	nous fassions
vous soyez	vous ayez	vous fassiez
ils soient	ils aient	ils fassent

ALLER	POUVOIR	VOULOIR
que j'aille	que je puisse	que je veuille
tu ailles	tu puisses	tu veuilles
il aille	il puisse	il veuille
nous allions	nous puissions	nous voulions
vous alliez	vous puissiez	vous vouliez
ils aillent	ils puissent	ils veuillent

SAVOIR	DONNER	VENIR
que je sache	que je donne	que je vienne
tu saches	tu donnes	tu viennes
il sache	il donne	il vienne
nous sachions	nous donnions	nous venions
vous sachiez	vous donniez	vous veniez
ils sachent	ils donnent	ils viennent

NETTOYER	VOIR	PRENDRE
que je nettoie	que je voie	que je prenne
tu nettoies	tu voies	tu prennes
il nettoie	il voit	il prenne
nous nettoyions	nous voyions	nous prenions
vous nettoyiez	vous voyiez	vous preniez
ils nettoient	ils voient	ils prennent

☐ **Test personnel** *(au brouillon)*

1) Conjuguez le verbe *ennuyer* au subjonctif présent.

2) Écrivez à la 1re personne du pluriel du subjonctif présent : aller, crier, oublier, éparpiller, pouvoir, employer.

Corrigé

1) que j'ennuie, que tu ennuies, qu'il ennuie, que nous ennuyions, que vous ennuyiez, qu'ils ennuient.

2) que nous allions, que nous criions, que nous oubliions, que nous éparpillions, que nous puissions, que nous employions.

► *Si vous avez commis* deux fautes ou plus *cette leçon vous est nécessaire.*

1 OBSERVEZ LE TABLEAU CI-CONTRE ET RÉFLÉCHISSEZ

① **En vous reportant si nécessaire au tableau de la page précédente, écrivez les verbes entre parenthèses au subjonctif présent.**

Il faut que je (savoir) ma leçon - Il veut que je (venir) à son secours - Il regrette que nous ne (pouvoir) pas l'aider - Il faut que je (prendre) des précautions - Ils attendent que je (être) prêt - Il est nécessaire que vous (donner) à manger aux bêtes - Tu sortiras sans qu'on te (voir) - Qu'il le (vouloir) ou non, nous le ferons - Il faut que nous (avoir) sa photo - Je voudrais que nous (aller) au cinéma.

② **A l'exception de *être* et de *avoir* tous les verbes au présent du subjonctif ont les mêmes terminaisons. Notez-les.**

e	...	...	ions	...	...

③ **Conjuguez au subjonctif présent : *il faut que ...***

(1re personne du singulier et 1re personne du pluriel)

a) Être prêt, avoir beau temps, être en forme et avoir de l'avance.

b) Savoir ceci par cœur, aller au travail, courir plus vite, payer ses dettes, prendre une décision, faire un geste de bonne volonté.

c) Venir à temps, pouvoir sortir, obtenir de meilleurs résultats, employer une ruse.

④ **Écrivez les verbes entre parenthèses au subjonctif présent :**

Il faut que : vous (venir) nous voir, je (nettoyer) cette pièce, nous nous (appuyer) sur vous, tu (essuyer) la vaisselle, ils (prendre) place, nous (participer) au spectacle, nous (voir) ce qui se passe, nous (réfléchir) à votre problème, il (vouloir) bien nous accompagner, nous (aller) voir.

FICHE 125	LES TERMINAISONS DU SUBJONCTIF PRÉSENT

Exemple : *que je chante, que tu chantes, ...*

• Au présent du subjonctif tous les verbes (sauf *être* et *avoir*) ont les mêmes terminaisons :

Il faut que ...	je	tu	il	nous	vous	ils
	-e	-es	-e	-ions	-iez	-ent

• *Remarque 1 :*

    — je, tu, il, ils = mêmes terminaisons que le présent de l'indicatif des verbes du 1er groupe.

    — nous, vous = mêmes terminaisons que l'imparfait.

• *Remarque 2 :*

    N'oubliez pas le **i** de la terminaison après *nous* et *vous* :
cri/er : que nous cri**ions**, que vous cri**iez** (2 **i**)
cueill/ir : que nous cueill**ions**, que vous cueill**iez**
voir : que nous voy**ions**, que vous voy**iez**

• *Remarque 3 :* Pas de **i** après le **y** aux verbes *avoir* et *être* :
    — que nous **soyons**, que vous **soyez**
    — que nous **ayons**, que vous **ayez**

• *Remarque 4 :* Attention aux verbes en **yer** :

que je nettoie	que nous nettoyions
que tu nettoies	que vous nettoyiez
qu'il nettoie	
qu'ils nettoient	

le **y** est changé en **i**   un **i** se place après le **y**

Exercices d'application

— Séance 47 : exercices ①, ③ et ④, page 152.
— Séance 50 : exercice ⑧, page 161.

Séance 48 - L'IMPÉRATIF PRÉSENT

Verbes-types à l'impératif présent

ÊTRE	**AVOIR**	**FAIRE**
sois	aie	fais
soyons	ayons	faisons
soyez	ayez	faites

ALLER	**DIRE**	**SAVOIR**
va	dis	sache
allons	disons	sachons
allez	dites	sachez

CHANTER	**FINIR**	**VOIR**
chante	finis	vois
chantons	finissons	voyons
chantez	finissez	voyez

COURIR	**PRENDRE**	**VENIR**
cours	prends	viens
courons	prenons	venons
courez	prenez	venez

ESSAYER	**METTRE**	**CUEILLIR**
essaie	mets	cueille
essayons	mettons	cueillons
essayez	mettez	cueillez

VOULOIR	**SORTIR**	
veux	sors	
voulons	sortons	
voulez	sortez	

☐ **Test personnel** *(au brouillon)*

1) Conjuguez à l'impératif présent : savoir, dire, faire, aller, prendre.

2) Mettez la terminaison qui convient : (va)-y - (donne)-en - (retourne)-y - (cueille)-en.

154

Corrigé

► *Si vous avez commis* deux fautes ou plus *cette leçon vous est nécessaire.*

---

1 OBSERVEZ ET RÉFLÉCHISSEZ

① **Conjuguez à l'impératif présent :**

aller à l'exposition - dire la vérité - avoir du courage - être tranquille - savoir la leçon - essayer ce vêtement - sortir du bureau - courir à toutes jambes - prendre la porte.

② **Observez les verbes de la page précédente et répondez à ces questions.**
1) Dans quelles situations utilise-t-on l'impératif présent ?
2) A quelles personnes l'impératif se conjugue-t-il ?
3) Le sujet du verbe est-il exprimé ?

③ **Notez les terminaisons possibles de l'impératif présent.**

— dans les verbes comme *chanter*			— dans les verbes comme *finir*		
e	...	...	s	...	...

④ **Par rapport aux terminaisons que vous avez notées, quelles remarques faites-vous dans la conjugaison des verbes suivants :** faire, aller, dire, vouloir ?

⑤ **Écrivez les verbes à l'impératif présent :**

• **1ʳᵉ personne :** (remuer) ciel et terre - (aller) plus vite - (savoir) que je refuse - (cueillir) ces fleurs - (essayer) ce vélo.

• **3ᵉ personne :** (faire) l'impossible - (dire) la vérité - (prendre) le large - (courir) plus vite - (être) honnête.

⑥ **Observez les phrases suivantes : Vas-y, parles-en.**

— Le *s* à la fin de ces formes verbales à l'impératif correspond-il à la terminaison normale ?

— Devant quels mots l'ajoute-t-on pour raison d'euphonie ?

— Reprenez chacun des verbes suivants à la même personne en ajoutant, selon le cas, *en* ou *y*.

Exemple : *Va à la gare* ⟶ *Vas-y*

Coupe du bois, retourne d'où tu viens, parle de cet événement, cueille des roses, donne du pain, raconte une de tes histoires, passe chez Paul.

2 | BILAN RÉCAPITULATIF

FICHE 126	LES TERMINAISONS DE L'IMPÉRATIF PRÉSENT

Exemple : *chante, chantons, chantez*

• L'impératif permet d'exprimer un ordre ou un conseil. Il ne comporte que trois personnes et s'emploie sans pronom de conjugaison.

• Les terminaisons de l'impératif présent sont les suivantes :

	tu	nous	vous
— *1er groupe*	-e	-ons	-ez
— *autres verbes*	-s	-ons	-ez

Nota : Les verbes suivants se terminent comme les verbes du 1er groupe : cueillir, ouvrir, courir et leurs composés ; savoir, offrir, souffrir...

• *Quelques terminaisons particulières*
aller (*va* à la gare) faire (*faites* vite)
avoir (*aie* du courage) dire (*dites* la vérité)
savoir (*sache* ta leçon)

• *Devant **en** et **y** on ajoute un **s*** (pour satisfaire l'oreille) à la terminaison en **e** et en **a** des verbes.

Exemple : *Vas-y, laisses-en, cueilles-en* ...

Exercices d'application

— Séance 48 : exercices ①, ⑤ et ⑥, page 155.
— Séance 50 : exercice ⑨, page 161.

Verbes-types aux temps composés de l'indicatif

Temps simples		Temps composés	
	présent ———————→	*passé composé*	
être	je suis	j'ai	été
avoir	j'ai	j'ai	eu
faire	je fais	j'ai	fait
aller	je vais	je suis	allé
pouvoir	je peux	j'ai	pu
finir	je finis	j'ai	fini
mettre	je mets	j'ai	mis
connaître	je connais	j'ai	connu
partir	je pars	je suis	parti
	imparfait ———————→	*plus-que-parfait*	
être	j'étais	j'avais	été
avoir	j'avais	j'avais	eu
faire	je faisais	j'avais	fait
aller	j'allais	j'étais	allé
pouvoir	je pouvais	j'avais	pu
finir	je finissais	j'avais	fini
mettre	je mettais	j'avais	mis
connaître	je connaissais	j'avais	connu
partir	je partais	j'étais	parti
	futur simple ———————→	*futur antérieur*	
être	je serai	j'aurai	été
avoir	j'aurai	j'aurai	eu
faire	je ferai	j'aurai	fait
aller	j'irai	je serai	allé
pouvoir	je pourrai	j'aurai	pu
finir	je finirai	j'aurai	fini
mettre	je mettrai	j'aurai	mis
connaître	je connaîtrai	j'aurai	connu
partir	je partirai	je serai	parti
	passé simple ———————→	*passé antérieur*	
		(peu usité)	
être	je fus	j'eus	été
avoir	j'eus	j'eus	eu
faire	je fis	j'eus	fait
	...	...	

□ **Test personnel** *(au brouillon)*

Écrivez à la 1ʳᵉ personne du singulier du passé composé, du plus-que-parfait et du futur simple : être, devoir, venir, perdre.

Corrigé

j'ai été, j'avais été - j'ai dû, j'avais dû, j'aurai dû - je suis venu, j'étais venu, je serai venu - j'ai perdu, j'avais perdu, j'aurai perdu.

► *Si vous avez commis* deux fautes ou plus *cette leçon vous est nécessaire.*

---

1 OBSERVEZ ET RÉFLÉCHISSEZ

① **En vous inspirant du tableau de la page précédente, formez les verbes suivants : perdre, crier, venir, sortir.**

À la 1ʳᵉ personne du singulier : du passé composé, du plus-que-parfait, du futur antérieur.

② **Continuez la conjugaison à toutes les personnes :**
— *passé composé :* j'ai été, je suis allé
— *plus-que-parfait :* j'avais eu, j'étais parti
— *futur antérieur :* j'aurai pu, j'aurai fait

③ **Observez et répondez aux questions suivantes :**

1) **Un verbe à un temps composé est formé de deux éléments. Lesquels ?**

2) **Lequel de ces deux éléments indique le temps ?**

3) **Achevez de remplir au brouillon le tableau suivant :**

Dans le verbe au *passé composé* l'auxiliaire est au ...
Dans le verbe au *plus-que-parfait* l'auxiliaire est à ...
Dans le verbe au *futur antérieur* l'auxiliaire est au ...

④ **Conjuguez au passé composé :**

achever le travail - accomplir un exploit - courir le cent mètres - prendre ses responsabilités.

⑤ **Conjuguez au plus-que-parfait :**

rompre le silence - prétendre le contraire - étudier sa leçon.

⑥ **Conjuguez au futur antérieur :**

avoir de la chance - faire des signes - prendre le volant.

⑦ **Précisez à quel temps est chacun des verbes suivants :**

Nous étions allés à la pêche - Vous avez bien connu mon oncle - Quand vous viendrez j'aurai terminé - Nous sommes partis dès l'aube - Ils ont mis leurs plus beaux vêtements - Si j'avais pu je l'aurais fait (conditionnel passé) - J'avais rencontré Jacques bien avant de vous connaître.

---

2 | **BILAN RÉCAPITULATIF**

| **FICHE 127** | **FORMATION DES TEMPS COMPOSÉS** |

● *Un temps composé est formé de **deux éléments** :*

l'auxiliaire *être* ou *avoir*	le participe passé du verbe	
j'ai	**perdu**	(passé composé)
j'étais	**parti**	(plus-que-parfait)

● *Chaque temps composé correspond à un temps simple.*

Pour former le temps composé on ajoute le participe passé à l'auxiliaire *être* ou *avoir* au temps simple correspondant.

Exemples :

j'ai (présent)	***j'ai fini*** (passé composé)
j'avais (imparfait)	***j'avais fini*** (plus-que-parfait)
j'aurai (futur simple)	***j'aurai fini*** (futur antérieur)

● *Les verbes être et avoir utilisent tous deux l'auxiliaire **avoir** aux temps composés.*

Exemple : passé composé   avoir : *j'ai eu*
                                       être : *j'ai été*

● *Quelques verbes se conjuguent aux temps composés avec l'auxiliaire **être** :* je suis allé, je suis né, je suis resté ...

▶ aller, arriver, entrer, rester, partir, venir, naître, mourir, tomber ...

● *La plupart des verbes se conjuguent aux temps composés avec l'auxiliaire **avoir** :* j'ai fini, j'ai pu, j'ai fait ...

Exercices d'application

— Séance 49 : exercices ①, ②, ④ à ⑦, pages 158-159.
— Séance 50 : exercices ⑩ et ⑪, page 161.

Séance 50 - RÉVISION 8
LA CONJUGAISON DES VERBES

Fiches à revoir

EXERCICES DE RÉVISION

① **Conjuguez les verbes suivants au présent de l'indicatif et à l'imparfait :**
placer, manger *(fiche 109)* - naviguer *(fiche 110)* - peler, appeler *(fiche 111)* - payer, ennuyer *(fiche 113)*.

② **Conjuguez les verbes suivants au futur simple et au conditionnel présent :**
connaître, plaire *(fiche 113)* - créer, haïr *(fiche 114)*.

③ **Conjuguez au présent de l'indicatif :**
oublier *(fiche 116)* - faire, dire *(fiche 117)*, répondre, peindre *(fiche 118)*, mettre, battre *(fiche 119)*.

④ **Conjuguez à l'imparfait** *(fiche 120)* **:**
crier fort, cueillir des fleurs, oublier ses outils, payer comptant.

⑤ Conjuguez au futur simple *(fiche 121)* :

voir l'Amérique, mourir en paix, acquérir des connaissances, nettoyer l'appartement, conclure une affaire.

⑥ Conjuguez au conditionnel présent *(fiches 122 et 123)* **les mêmes verbes qu'au futur simple** (exercice 5).

⑦ Conjuguez au passé simple *(fiche 124)* :

courir à toutes jambes, intervenir pour aider, cueillir des roses.

⑧ Conjuguez au subjonctif présent *(fiche 125)* :

il faut que ... : crier fort - essuyer partout - être courageux.

⑨ Conjuguez à l'impératif présent *(fiche 126)* :

aller au cinéma - faire vite - savoir travailler - prendre la porte.

⑩ Conjuguez au passé composé *(fiche 127)* :

aller à la pêche - faire pour le mieux - rompre le silence.

⑪ Conjuguez au plus-que-parfait *(fiche 127)* :

courir le cent mètres - interrompre son activité.

⑫ *Synthèse :* **Écrivez comme il convient les verbes entre parenthèses :**

Nous (se mettre, plus-que-parfait) au travail - Tu (finir, passé composé) ta promenade - Quand tu reviendras je (terminer, futur antérieur) - Ces fleurs sont belles, (cueillir, 1re personne présent impératif)-en et (mettre, impératif présent)-les dans ce vase - Il faut que vous me (donner) votre accord - Il est nécessaire que nous (savoir) ceci par cœur - Je voudrais que vous (crier) votre enthousiasme - Quand nous (venir, passé simple) il était trop tard - Nous (finir, passé simple) par nous en aller - Nous (avoir, passé simple) très peur.

⑬ *Synthèse :* **Écrivez comme il convient les verbes entre parenthèses :**

Ce jour-là nous (arriver, passé simple) en retard et nous ne (pouvoir, passé simple) trouver une place - Demain, je vous (offrir) un gâteau - Je (boire) bien quelque chose si c'était possible - Si je le pouvais, je vous (donner) mon accord - Si je le peux, je (remplir) mon contrat - Tu (continuer, futur simple) ce travail demain - Nous ne vous (ennuyer, futur simple) pas avec nos discours - Je vous (louer, futur simple) cet appartement la semaine prochaine - Il (conclure, futur simple) son exposé par une citation.

⑭ *Synthèse :* **Écrivez comme il convient les verbes entre parenthèses :**

Nous nous (distraire, imparfait) comme nous le (pouvoir) - Nous (crier, imparfait) de désespoir - La pluie (menacer, imparfait) - C'est moi qui (avoir, présent indicatif) votre stylo - C'est toi qui (être, présent) nommé - J'écoute ce que vous (dire, présent) et je m'intéresse à ce que vous (faire, présent) - Les voilà qui (venir, présent) - Je (pouvoir, présent) et je (vouloir, présent) réussir - Il me (convaincre, présent) de sa bonne foi - Je (répondre, présent) à votre question - Nous (craindre, présent) le pire.

Séance 51 - LE SON « SE » :
UN *S* OU DEUX : *SS*
LA CÉDILLE

□ **Test personnel** *(au brouillon)*

1) Écrivez *s* ou *ss* à la place des points : embarra...er, pui...ant, lui...ant, vali...e, vous ébloui...ez, soubre...aut, tourne...ol.

2) Placez la cédille où elle est nécessaire : recu, réception, décevoir, il percut, il perca, il perce, nous percons, la facon, la face, ceci, le cycle.

Corrigé

face, ceci, le cycle.

2) reçu, réception, décevoir, il perçut, il perça, il perce, nous perçons, la façon, la

1) embarrasser, puissant, luisant, valise, vous éblouissez, soubresaut, tournesol.

► *Si vous avez commis* deux fautes ou plus *cette leçon vous est nécessaire.*

► *Un s ou deux :* ss *?*

1 OBSERVEZ LES MOTS SUIVANTS ET LISEZ-LES A VOIX HAUTE

a - cousin, poison, désert, viser (son « ze »)
b - coussin, poisson, dessert, visser (son « se »)
c - liste, mensonge, espoir, reste (son « se »)

2 RÉFLÉCHISSEZ ET EXERCEZ-VOUS

① **Dans la série** *a* **et** *b* **le** *s* **(ou les deux** *s***) est entre quelles lettres : des voyelles ou des consonnes ?**

Dans ce cas comment obtient-on le son « ze » ? Comment obtient-on le son « se » ?

② **Disposez les mots suivants en deux colonnes selon que le** *s* **se prononce** *se* **ou** *ze* **:**

brasier, brassée, embarrasser, désigner, dévisager, viser, presser, casser, épuiser, bise, présence, caisson, cloison, luisant, puissant, essence, hésiter, raser, passer.

Conclusion : Essayez de formuler une petite règle.

③ **Dans la série *c* le *s* est-il également entre deux voyelles ? Comment se prononce-t-il ?**

④ **Remplacez les points par *s* ou *ss* :**

obéi...ant - récompen...e - per...onne - pen...er - arro...oir - ca...erole - pen...ion - ceri...e - sauci...on - encai...er - traver...er - ma...er - ra...er - boi...erie - adver...aire - par...emé - o...ser.

⑤ **Remplacez les points par *s* ou *ss* :**

vi...er une cible - vi...er un piton dans une porte - ca...er la vai...elle - la ba...e de l'édifice est la partie la plus ba...e.

3 BILAN RÉCAPITULATIF

| FICHE 128 | QUAND FAUT-IL **SS** ? |

- *Entre deux voyelles :*

    — *un s se prononce «ze» :* viser, poison, cousin

    — *deux ss se prononcent «se» :* visser, poisson, coussin

    Exceptions : Dans les mots suivants le *s* entre deux voyelles ne double pas bien que l'on prononce «se» : asocial, asymétrie, contresens, contresigner, dysenterie, entresol, parasol, présalaire, resaler, resalir, resurgir, soubresaut, tournesol, vraisemblable (et ses composés)...

- *Entre une voyelle et une consonne :* le *s* se prononce «se».

    On ne met donc *jamais **ss*** avant ou après une <u>consonne</u> :

    Exemples : *pension, défense, adversaire, poste...*

Exercices d'application

— Séance 51 : exercices ④ et ⑤, page 164.
— Séance 57 : exercice ①, page 188.

▶ *Quand mettre la cédille sous le c ?*

1 OBSERVEZ ET PRONONCEZ LES MOTS SUIVANTS

— **c** : Macon (la ville), le recul, la cale du navire
— **ç** : maçon, le reçu, il perça le mur
— Mais : ceci, cycle

2 RÉFLÉCHISSEZ ET EXERCEZ-VOUS

⑥ **Son «*ke*» ou son «*se*». Comment se prononce le *c* sans cédille devant *a, o, u*?**
Comment se prononce-t-il si l'on met la cédille ?

⑦ **En observant *ceci* et *cycle* indiquez quelles sont les voyelles devant lesquelles on ne place pas la cédille sous le *c* pour obtenir le son *se*.**

⑧ **Placez la cédille où elle est nécessaire :**

la balancoire, le flocon, la lecon, reculer, basculer, le soupcon, la perceuse, le cinéma, un remerciement, le souci, le calecon, la déception, un Francais, le faucon, le garcon, la facon.

⑨ **Placez la cédille où elle est nécessaire :**

nous recumes	il placa	tu apercois
j'apercevais	vous le décevrez	vous apercevez
nous lancons	il descend	il percut
vous lancez	nous effacions	il percait
ils apercurent	nous avancions	il perce
il commencait	nous avancons	il apprécia

FICHE 129	LA CÉDILLE

- **Devant a, o, u** *il faut une **cédille** sous le c pour faire le son «se» :*
    - son «ke» : cacao, Macon (la ville), il recule
    - son «se» : il perça, le maçon, le reçu.
- **Devant e, i, y** *il ne faut pas de cédille.*
    Exemples : *ceci, le cycle*

Exercices d'application

— Séance 51 : exercices ⑧ et ⑨, page 165.
— Séance 57 : exercice ①, page 188.

⑩ **Synthèse. Proposez 10 noms qui s'écrivent avec *ss* et 10 noms qui prennent une *cédille*.**

⑪ **Synthèse. Remplacez les points par *s, ss, c* ou *ç*.**

— le pou...in, la cui...ine, la dé...eption, le re...u, la ma...ue, le cre...on, la le...on, le te...on de bouteille, la pa...ion.

— a...urer, per...er, dé...evoir, appré...ier, ta...er, encai...er, ma...onner, commen...er, ré...iter, a...ister, per...ister.

Séance 52 - LE SON « SE » : DIFFÉRENTES ORTHOGRAPHES

□ **Test personnel** *(au brouillon)*

Écrivez le son « se » comme il convient : la prophé...ie, la pharma...ie, l'appari...ion, la progre...ion, la manifesta...ion, la résolu...ion, la discu...ion, la péripé...ie, superfi...iel, essen...iel, confiden...iel, su...iter, o...iller, de...ente, a...en...ion, gly...ine, pi...ine.

Corrigé

descente, ascension, glycine, piscine.
tion, la discussion, la péripétie, superficiel, essentiel, confidentiel, susciter, osciller,
la prophétie, la pharmacie, l'apparition, la progression, la manifestation, la résolu-

► *Si vous avez commis* deux fautes ou plus *cette leçon vous est nécessaire.*

1 OBSERVEZ LES MOTS SUIVANTS ET PRONONCEZ-LES

c - ceci, monitrice, abcès, façade, déçu
s - savoir, danseur, ourson, tension
ss - éblouissant, assez, princesse, chasseur, baisser
sc - scier, descente, ascenseur, science
t - fraction, prétention, direction, démocratie, péripétie

2 RÉFLÉCHISSEZ ET EXERCEZ-VOUS

① **A partir des mots précédents, complétez le tableau qui suit (en le reprenant au brouillon).**

— *Le son « se »* peut s'écrire :

s	ss	c	...	...	...
...	...	...	...	...	...
...	...	...	...	...	...
...	...	...	...	...	...

Proposez dans chaque colonne 3 ou 4 nouveaux exemples.

② *Le son « si »*. **Comparez les mots :**

la pharma*ci*e, la démocra*ti*e, le *si*lence, l'a*ssi*se.

Combien d'orthographes possibles pour le son « si » ?

— **Complétez le son « si » final dans les mots suivants :**

une éclair..., une acroba..., une aristocra..., l'iner..., l'autop..., la calvi..., la prophé..., à la mer..., la minu...

— **Complétez le son « si » à l'intérieur ou au début des mots :**

les ...ls des yeux, les sour...ls, la pa...ience, l'ini...ative, un résultat par...el, l'essen...el, un homme impar...al, un repas substan...el, une voix confiden...elle.

③ *Le son « sion »*. **Comparez :**

mi*ssion*, men*tion*, pen*sion*.

Combien d'orthographes différentes ?

Les mots suivants se terminent par « sion ». Mettez l'orthographe qui convient :

a) *ation* : opéra..., communica..., ondula..., na..., publica..., convoca..., acclama..., forma..., décora..., imita..., pa..., compa...

Conclusion : Formulez une remarque sur les noms terminés par « ation ».

b) *otion* et *ution* : po..., émo..., solu..., résolu..., exécu..., élocu..., persécu..., discu..., répercu...

Conclusion : Quelle remarque formulez-vous ?

c) *ition* : posi..., puni..., fini..., exhibi..., parti..., expédi..., tradi..., défini... démoli..., mi..., soumi..., commi..., permi..., démi...

Conclusion : Quelle remarque formulez-vous ?

d) *divers* : expre..., expan..., expul..., extrac..., posse..., suppre..., men..., pre..., direc...

Classez ces mots par catégories selon l'orthographe de « sion ».

④ **Écrivez le féminin des noms suivants :**

moniteur, lecteur, facteur, directeur, spectateur, protecteur, empereur, débiteur, docteur, chasseur, traître, prince, duc, maître.

⑤ **Formez des verbes à l'infinitif à partir des adjectifs suivants et classez-les en deux catégories selon la terminaison (...cir ou ...ssir).**

épais, dur, rance, roux, gros, doux, noir, court, rassis, farci.

6 Remplacez les points par *s*, *ss*, *c* ou *sc*.

va...iller - fa...iner - convale...ent - acquie...er - de...iner - o...iller - de...endre - adole...ent - spa...ieux - a...en...eur - pi...ine - ...intiller - gra...ieux - incande...ent - ...énario.

3 BILAN RÉCAPITULATIF

FICHE 130	LE SON « SI » : **SI** OU **TI** ?

- Le son « si » s'écrit souvent *ti*.

① noms féminins en **tie** — en **cie**

la démocratie	la minutie	la pharmacie
l'autocratie	la facétie	l'éclaircie
la prophétie	la péripétie	
la suprématie	l'inertie	— en **sie**
	la calvitie	l'autopsie

② adjectif en **tiel** — en **ciel**

partiel	confidentiel	superficiel
substantiel	torrentiel	artificiel
essentiel	démentiel	officiel

FICHE 131	LES NOMS EN **SION** OU **TION**

Beaucoup de noms terminés par « sion » s'écrivent avec un *t*.

1) La plupart des noms terminés par **ation** s'écrivent avec un *t* comme **opération**.

Exemples : *ration, nation, publication, convocation...*

Exceptions : passion et compassion.

2) Tous les noms terminés par **otion** s'écrivent avec un *t* comme **émotion**.

Exemples : *potion, notion...*

3) La plupart des noms terminés par **ition** s'écrivent avec un *t* comme **punition**.

Exemples : *finition, tradition, définition...*

Exceptions : mission (et ses dérivés : *permission, commission, démission ...*), suspicion, scission.

4) La plupart des noms terminés par **ution** s'écrivent avec un *t* comme **solution**.

Exemples : *résolution, exécution, élocution...*

Exceptions : discussion, répercussion, succion.

5) La plupart des noms terminés par **ession** s'écrivent comme **progression**.

Exemples : *possession, régression, suppression...*

Exceptions : discrétion, sécrétion.

FICHE 132	LE SON « SE » ORTHOGRAPHIÉ **SC**

Mots usuels ou le son **se** s'écrit **sc** :

ascension	effervescent	plébiscite	scier
ascenseur	fascicule	phosphorescent	scinder
acquiescer	fasciner	recrudescence	susciter
adolescent	faisceau	science	
convalescent	incandescent	scénario	
descente	osciller	sceptique	
disciple	piscine	sceller	

Exercices d'application

— Fiche 130. Séance 52 : exercice ②, page 168.
Séance 57 : exercice ②, page 188.
— Fiche 131. Séance 52 : exercice ③, page 168.
Séance 57 : exercice ③, page 188.
— Fiche 132. Séance 52 : exercice ⑥, page 169.
Séance 57 : exercice ⑤, page 188.

⑦ **Synthèse. A vous de trouver sans consulter les fiches :**
— **10 noms terminés par** *ation,*
— **10 noms terminés par** *otion,*
— **10 noms s'écrivant avec** *sc,*
— **10 noms se terminant par** *tie.*

Séance 53 - LE SON « ZE » :

☐ **Test personnel** *(au brouillon)*

Écrivez le son « ze » comme il convient : l'ec...éma, l'hori...on, la rai...on, le deu...ième, le lé...ard, le ha...ard, ga...ouiller, le chimpan...é, le ja..., bi...arre, le bli...ard, le ra...oir, le trapè...e.

Corrigé

l'eczéma, l'horizon, la raison, le deuxième, le lézard, le hasard, gazouiller, le chimpanzé, le jazz, bizarre, le blizzard, le rasoir, le trapèze.

► *Si vous avez commis* deux fautes ou plus *cette leçon vous est nécessaire.*

**1 OBSERVEZ LES MOTS SUIVANTS
ET PRONONCEZ-LES**

z - horizon, bazar, azur, zone, gaz, treizième
s - hasard, oser, asile, rose, raisin, troisième
x - deuxième, sixième, dixième
zz - jazz, razzia

---

2 RÉFLÉCHISSEZ ET EXERCEZ-VOUS

① **A partir des mots précédents, complétez le tableau qui suit (en le reprenant au brouillon).**

— Le son « *ze* » peut s'écrire :

z	zz	...	...
...	...	...	...
...	...	...	...
...	...	...	...

Pour chacune des colonnes proposez quelques exemples personnels.

② **Le son « *ze* » au début des mots. Comparez les deux séries suivantes :**
zone, zèbre, zéphyr, zeste de citron, zigzag, zinc, zoo
sain, saison, salade, saucisson, secret, social.

Répondez ensuite aux questions suivantes :

a) un *s* au début d'un mot peut-il avoir le son « ze » ?

b) le son « ze » au début d'un mot s'écrit-il toujours avec un *z* ?

③ Écrivez en toutes lettres les nombres de 0 à 20 et soulignez ceux qui prennent un *z*.

④ Écrivez les adjectifs numéraux exprimant le rang entre *premier* et *vingtième*. Quels sont ceux qui comportent le son « ze » ? Comment s'écrivent-ils ?

⑤ Notez les mots suivants dans votre carnet d'orthographe et écrivez-les plusieurs fois au brouillon.

— Mots où la faute est fréquente : bazar, hasard, bizarre, lézard, dix, dixième, dizaine.

— Mots d'origine étrangère où le *z* double : puzzle, pizza, jazz, blizzard, razzia.

⑥ Rappel : *poison* ⟶ *poisson* ; *cousin* ⟶ *coussin*

Reportez-vous à la fiche 128 page 164. Dans quel cas le *s* se prononce-t-il « ze » ?

⑦ Remplacez les points par *s* ou par *z* afin d'obtenir le son « ze » (utilisez le dictionnaire).

la mai...on, la rai...on, la toi...on, le bi...on, le ga...on, l'hori...on, la pri...on.

le ra...oir, la ru...e, le lé...ard, la ri...ère, le dé...ir, le chimpan...é, le plai...ir, la ga...elle, le bron...e, l'ec...éma, le trapè...e, le quart..., l'oi...eau, ga...ouiller, l'a...ur.

⑧ Le *z* à la fin des mots. Classez les mots suivants en deux catégories suivant que le *z* final se prononce ou non :

le nez, le gaz, le rez-de-chaussée, le raz de marée, partez, chez, jazz.

---

3 BILAN RÉCAPITULATIF

FICHE 133	LE SON « ZE »

- *Au début d'un mot* le son « ze » s'écrit toujours **Z**.

  Exemples : *zone, zèbre, zinc.*

- *Avant ou après une consonne* le son « ze » s'écrit **Z**.

  Exemples : *bronze, chimpanzé.*

- **_Entre deux voyelles_** _le son « ze » peut s'écrire **s** ou **z**_. Seul le dictionnaire peut nous l'indiquer. Mais tous les mots terminés par le son **« zon »** prennent un **s**.

  Exemples : _maison, raison, floraison, salaison._

  Sauf : gazon et horizon.

- _Le son « ze » s'écrit **X**_ dans : deuxième, sixième, dixième.

Exercices d'application

— Séance 53 : exercices ③ à ⑧, page 172.

⑨ **Synthèse. Complétez de mémoire chaque colonne du tableau suivant par le maximum d'exemples** (au brouillon).

Le son **ze** s'écrit :

z	zz	s	x
bronze	razzia	raison	deuxième
. . . .	. . . .	. . . .	. . . .
. . . .	. . . .	. . . .	. . . .
. . . .	. . . .	. . . .	. . . .

Séance 54 - LE SON « KE »

☐ **Test personnel** *(au brouillon)*

Écrivez le son « ke » comme il convient : la ...orale, la ...ittance, le tan..., l'a...ueil, a...oler, dé...oler, le vare..., la ...ronologie, ra...ommoder, un a...roc, le cho..., le co..., le do..., c'est remar...able, c'est expli...able, un banc publi..., l'école publi..., le ni...el.

Corrigé

► *Si vous avez commis* deux fautes ou plus *cette leçon vous est nécessaire.*

1 OBSERVEZ LES MOTS SUIVANTS

a - sac, col, encore, public ────►	**C**	
b - occasion, impeccable, accroc ────►	**CC**	
c - écho, chœur, chorale ────►	**CH**	
d - acquérir, becqueter ────►	**CQ**	
e - ticket, nickel, stock ────►	**CK**	
f - qualité, paquet, bloquer ────►	**QU**	
g - cinq, coq ────►	**Q**	
h - képi, tank, kangourou ────►	**K**	

2 RÉFLÉCHISSEZ ET EXERCEZ-VOUS

① **Dans les séries *a* à *e* quelle est la lettre qui est chaque fois présente pour former le son « *ke* » ? Avec quelles autres lettres peut-elle se combiner ?**

② *La lettre c et le son « ke ».*

— **Parmi les mots suivants, quels sont ceux où la lettre *c* produit le son « *ke* » ?**

caramel, ceci, conduire, public, cloche, cran, citron, course, cintre, toc, cure, classe, place, colonel...

— **Conclusion : devant quelles lettres ou à quelle place la lettre *c* se prononce-t-elle « ke » ?** (voir fiche 134 page 176)

③ *Le son « euil » après le c*

— Observez le mot « cueillir ». Quelle remarque faites-vous sur l'écriture du son « euil » ?

— Complétez les mots suivants par le son « euil » orthographié comme il convient :

un acc..., un rec..., la c...llette, acc...llir, rec...llir, un éc...

④ *CC*. Voici des mots qui s'écrivent avec un *c* double. Classez-les en deux catégories selon que le *cc* se prononce *« ke »* ou *« ks »*.

Exemples : *ke : accabler* - *ks : occident*

accabler, raccorder, accès, succès, succéder, accaparer, acclimater, accident, occupant, accoler, accélérer, accord, accent, accommoder, accepter, accorder, accomplir, accueil, occupation, occasion.

⑤ En utilisant le dictionnaire trouvez :
— une dizaine d'autres mots usuels commençant par *acc*.
— cinq ou six autres mots usuels commençant par *occ*.
— cinq ou six autres mots usuels commençant par *racc*.

⑥ *CH*. Classez les mots suivants en deux catégories selon que *ch* se prononce *« ke »* ou *« che »*.

cheval, choléra, chrétien, varech, chœur, choc, chacun, chronomètre, chrysanthème, auroch, chronologie, orchestre, technique, chemin, chloroforme.

⑦ *QU, Q*

— A noter. La lettre *q* s'écrit toujours avec un *u* sauf dans les deux mots usuels suivants : cinq, coq.

— Remplacez les points par *qu* ou *c* pour obtenir le son *« ke »*.

le ...apital, la ra...ette, la ...on...ête, la ...orvée, l'é...ilibre, ja...asser, un tra...as, le vain...eur, la ...olonne, une ré...isition, le re...ul, la ...ittance.

Conclusion : devant quelles voyelles trouvez-vous le *c*? Devant quelles voyelles trouvez-vous *qu*?

⑧ Écrivez les verbes à l'infinitif correspondants aux mots suivants :

Exemple : *choc ⟶ choquer*

pic, troc, escroc, tronc, diagnostic, pronostic, fabrication, provocation, communication, stock.

Conclusion : comment s'écrivent à l'infinitif, à une exception près, les verbes terminés par le son « ker » ?

⑨ Conjuguez le verbe *fabriquer* au présent de l'indicatif et à l'imparfait. Garde-t-il *qu* dans toute sa conjugaison ?

⑩ **Employez le verbe au participe présent :**

Il gagnait sa vie en (fabriquer) des caisses - Il conduisit en (provoquer) un accident - Il quitta la pièce en (suffoquer) - C'est en (communiquer) qu'on peut arriver à se comprendre - Tout en (vaquer) à ses travaux, elle réfléchissait.

⑪ **Observez les adjectifs verbaux suivants et dites en quoi ils diffèrent des participes présents :**

des vases communicants, un discours convaincant, un air suffocant, une place vacante, une allure provocante.

— **Employez à votre tour ces adjectifs avec d'autres noms.**

⑫ **En utilisant le dictionnaire trouvez les adjectifs en *« cable »* ou *« quable »* correspondants aux verbes suivants :**

critiquer, communiquer, pratiquer, remarquer, attaquer (commence par « in »), manquer (commence par « im »), appliquer, expliquer.

⑬ **Mettez au féminin les adjectifs suivants :**

l'école (public) - des arbres à feuilles (caduc) - une ville (turc) - une actrice (grec).

⑭ *CQ*. **Observez l'orthographe des verbes :** acquérir, acquitter.

— **Conjuguez-les au présent de l'indicatif.**

— **Cherchez des mots dérivés de ces verbes :** acquisition...

⑮ **Complétez les mots suivants par *c*, *k* ou *ck* :**

le ti...et, le bifte..., le tan..., le ...imono, le ...araté, le bo..., un derri..., le ni...el, le fis..., le ...épi, le blo...aus, le sto..., un diagnosti..., la ...arafe, le ...laxon, l'ar..., le mo...a, le mar...

---

3 █ **BILAN RÉCAPITULATIF : FICHES A CONSULTER**

FICHE 134	LE SON « KE »

1) Devant **a, o, u** et **les consonnes** le son « ke » s'écrit *souvent* **C.**

Exemples : car, colonne, culbute, classe, crâne.

— Mais il y a de nombreuses exceptions : quartier, quotient...

2) Devant **e** et **i** le son « ke » s'écrit *souvent* **qu.**

Exemples : *question, quittance, que, qui.*

— Mais on écrit : cueillir, recueil, écueil (et leurs dérivés).

3) La lettre **q** s'écrit toujours avec un **u** *sauf* dans les deux mots usuels suivants : cinq, coq.

4) Le son « ke » peut aussi s'écrire :

ch : chœur, chorale, écho, chrétien, chronomètre...
cq : acquérir, acquitter - acquéreur, acquisition - acquittement...
k et **ck** : tank, karaté, stock, ticket...

FICHE 135	LA LETTRE **C** DOUBLE DANS UN CERTAIN NOMBRE DE MOTS

Écrivez avec deux *c*	Écrivez avec un seul *c*
1) La plupart des mots commençant par *ac* : accabler, accaparer, accolade, accrocher, accroc, accent...	*mais :* acabit, acacia, académie, acajou, acompte...
2) La plupart des mots commençant par *oc* : occasion, occuper, occupation, occident...	*mais :* océan, ocre, octroi, oculaire (et leurs dérivés) ...
3) Les mots suivants commençant par *rac* : raccommoder, raccompagner, raccorder, raccourcir, raccrocher (et leurs dérivés).	La plupart des mots commençant par *rac* : race, rachat, racaille, raconter...

FICHE 136	LES VERBES EN « QUER » ET LEURS DÉRIVÉS

1) *Les verbes à l'infinitif en « quer » s'écrivent* **QUER** *sauf* **stocker**.

Exemples : *fabriquer, provoquer ...*

— Ces verbes gardent **QU** dans toute leur conjugaison, donc au *participe présent* : en fabriquant, en provoquant ...

2) Mais on écrit : un fabricant, et *les cinq adjectifs suivants se terminent par* **CANT** : communicant, convaincant, provocant, suffocant, vacant.

3) *La plupart des adjectifs en « cable » s'écrivent* **CABLE**.

Exemples : *inexplicable, communicable, praticable ...*

Sauf : remarquable, inattaquable, immanquable, critiquable, impeccable.

FICHE 137	NOTONS LE FÉMININ DES ADJECTIFS SUIVANTS

- un banc public   l'école publi**que**
- un traité cadu**c**   des arbres à feuilles cadu**ques**
- un port tur**c**   une ville tur**que**
- un port gre**c**   une ville gre**cque**

Exercices d'application

— Fiche 134. Séance 54 : exercices ②, ③, ⑦, ⑭, ⑮, pages 174-176.
— Fiche 135. Séance 54 : exercices ④ et ⑤, page 175.
— Fiche 136. Séance 54 : exercices ⑧ à ⑫, pages 175-176.
— Fiche 137. Séance 54 : exercice ⑬, page 176.

⑯ **Synthèse. Sans consulter les fiches complétez chaque colonne du tableau suivant avec le maximum de mots** (au brouillon).

Le son **ke** s'écrit :

c	cc	ch	cq
encore	accord	écho	acquérir
....	....	....	....
....	....	....	....
....	....	....	....

ck	qu	q	k
ticket	quittance	coq	képi
....	....	....	....
....	....	....	....
....	....	....	....

Séance 55 - • LE SON « JE » ET LE SON « GUE »
• LE SON « FE »

☐ **Test personnel** *(au brouillon)*

1) Écrivez correctement le son *«je»* ou *«gue»* : la ...enon, le ...orille, le han...ar, l'or...eil, la ...irouette, la ...irlande, l'a...onc, l'a...ent, a...uster, le bour...on, il bou...ait.

2) Écrivez correctement le son «fe» : une a...aire, l'as...yxie, le ...iloso...e, la di...érence, la con...érence, l'o...ense, e...icace, être a...one, sou...ler, boursou...ler, anglo...ile.

Corrigé

souffler, boursoufler, anglophile.

2) affaire, asphyxie, philosophe, différence, conférence, offense, efficace, aphone,

geon, bougeait.

1) guenon, gorille, hangar, orgueil, girouette, guirlande, ajonc, agent, ajuster, bour-

▶ *Si vous avez commis* deux fautes ou plus *cette leçon vous est nécessaire.*

▶ *Le son «je» et le son «gue»*

1 OBSERVEZ LES MOTS SUIVANTS ET PRONONCEZ-LES

— *Devant a, o, u*
- Son *«gue»* : garage, garçon, gorille, aigu.
- Son *«je»* : geai, bourgeon, joli, jamais, jardin.

— *Devant e, i, y*
- Son *«gue»* : guérir, guenon, guirlande, orgueil.
- Son *«je»* : genou, âgé, agir, gymnastique, jeune, jeton.

2 RÉFLÉCHISSEZ ET EXERCEZ-VOUS

① **Comment se prononce le** *g*
- **Directement devant** *a, o* **ou** *u* **? Donnez 5 ou 6 autres exemples.**
- **Directement devant** *e, i* **ou** *y* **? Donnez 5 ou 6 autres exemples.**

② **On ajoute un _e_ après le _g_ devant _a, o, u_ pour obtenir quel son ?**

— **Remplacez les points par _g_ ou _ge_ :**

la ...orge, ...oûter, le ...ant, ...arantir, le ca...ot, la man...oire, le ...az, le fa...ot, la man...aille, ...ouverner.

③ **On ajoute un _u_ après le _g_ devant _e, i, y_ pour obtenir quel son ?**

— **Remplacez les points par _g_ ou _gu_ :**

la ...eule, éla...er des arbres, le pota...er, man...er, la ...érison, le ...idon, la pa...e, la ra...e, irri...er, le pota...e, navi...er, réa...ir, élar...ir, ...ider.

④ **Le son «_je_» peut s'écrire :**

— **_g_ dans les mots :** rage, luge, giration...

— **_ge_ dans les mots :** cageot, il nagea...

— **_j_ dans les mots :** jeune, sujet, cajoler...

• **Complétez chaque catégorie par 5 ou 6 autres mots.**

⑤ **Conjuguez à l'imparfait et au présent de l'indicatif le verbe _nager_.**

⑥ **Écrivez les verbes au temps indiqué :**

Nous (ranger, présent de l'indicatif) nos affaires - Tu (plonger, imparfait) - Nous (distinguer, présent de l'indicatif) une forme dans le brouillard - Il (larguer, passé simple) les voiles - Tu (héberger, imparfait) un chien perdu - Ils (nager, passé simple) jusqu'à l'épuisement - Je (rager, imparfait) de le voir faire.

---

3 | BILAN RÉCAPITULATIF

| **FICHE 138** | **SON « JE » ET SON « GUE »** |

«gue» • _Pour obtenir le son «gue»_

g	a	— devant **a** on écrit **g** + **a** : garage, gaufre, hangar
	o	— devant **o** on écrit **g** + **o** : gorille, goûter, dégorger
	u	— devant **u** on écrit **g** + **u** : Gustave, aigu
gu	e	— devant **e** on écrit **gu** + **e** : guérir, guerre, orgueil
	i	— devant **i** on écrit **gu** + **i** : guitare, guide
	y	— devant **y** on écrit **gu** + **y** : guy

ge	**a**	— devant **a** on écrit **ge** + **a** : il bougeait, le geai
		ou : **j** + **a** : jardin, jarre
ou :	**o**	— devant **o** on écrit **ge** + **o** : bourgeon, bourgeois
		ou : **j** + **o** : jour, ajonc
j	**u**	— devant **u** on écrit **j** + **u** : juste, ajuster

g	**e**	— devant **e** on écrit **g** + **e** : gérant, genou, âge
		ou : **j** + **e** : jeune, je, jeter
ou :	**i**	— devant **i** on écrit **g** + **i** : girouette, prodigieux
j	**y**	— devant **y** on écrit **g** + **y** : gymnastique

Exercices d'application

— Séance 55 : exercices ② à ⑥, page 180.
— Séance 57 : exercice ⑦, page 189.

▶ *Le son « fe » : f, ff ou ph ?*

1 OBSERVEZ LES MOTS SUIVANTS

f : flamme, flèche, café, défunt, sauf
ff : affaire, difficile, chauffage, affirmer
ph : phrase, aphone, physique, anthropophage

2 RÉFLÉCHISSEZ ET EXERCEZ-VOUS

⑦ *ff*. Peut-on trouver *ff* au début d'un mot ? à la fin d'un mot français ?

⑧ En utilisant le dictionnaire, notez les mots usuels commençant par *af*, *ef*, *of* pour compléter la liste ci-dessous :

— *af* : affaire, affirmer, affluent, ... afin, Afrique...
— *ef* : effet, effacer, efficace, ... éfaufiler...
— *of* : officier, offense, offrir...

Quelles conclusions tirez-vous de cette recherche ?

⑨ **Notez une dizaine de mots usuels commençant par *dif*.**

Exemples : *difficile, différence...*

Quelle conclusion tirez-vous de cette recherche ?

⑩ **Notez une dizaine de mots usuels commençant par *prof*.**

Exemples : *professeur, profil, profession...*

Quelle conclusion tirez-vous de cette recherche ?

⑪ *phe.* **Beaucoup de mots commençant par « phe » sont des mots savants venus du grec. Expliquez le sens des mots suivants :**

pharaon, phalange, pharynx, phénix, phénomène, philanthrope, philatéliste, phonétique, phosphore, physionomie, philosophe.

⑫ **Le son « fe » peut également s'écrire *phe* dans le corps des mots.**

Exemples : *orthographe, orphelin*

Remplacez les points par *f* ou *ph* :

dé...aite, dau...in, atmos...ère, micro...one, re...user, ra...ale, nénu...ar, dé...aire, pro...il, as...yxie, péri...érie, stro...e, mé...ait, catastro...e, ty...on, biblio...ile.

⑬ **Cherchez des mots comportant :**

— **la racine « graphe »** (qui signifie « écrire ») : orthographe, graphique...

— **la racine « phone »** (qui signifie « son ») : aphone, électrophone...

— **la racine « phage »** (qui signifie « manger ») : anthropophage...

---

3 ▐ **BILAN RÉCAPITULATIF : FICHE A CONSULTER**

FICHE 139	LE SON « FE »

- *Le son « fe » s'écrit en général **f**.*
  Exemples : *faire, afin, refus.*
- *Le son « fe » s'écrit **ff** dans un certain nombre de mots, en particulier :*
1) Dans les mots commençant par **af, ef, of**.
  Exemples : *affaire, efficace, officier, affluent, effectif ...*
  Exceptions : afin, Afrique (et ses dérivés), éfaufiler.
2) Dans tous les mots commençant par **dif**.
  Exemples : *différent, difficile, difforme.*

3) Dans les mots de la famille de **souffler** et de **siffler**.

Exemples : *soufflet, essouffler, sifflet ...*

Exceptions : boursoufler, persifler.

• *Le son « fe » s'écrit phe* dans un certain nombre de mots usuels qu'il faut savoir orthographier, en particulier :

1) Dans les mots usuels suivants : orphelin, orthographe, physique, phénomène, atmosphère, physionomie, strophe, périphérie, catastrophe, pharmacie, pharynx, photographie.

2) Dans les mots comportant la racine **phage** (= manger).

Exemples : *anthropophage, œsophage, aérophagie ...*

3) Dans les mots comportant la racine **phil** (= ami).

Exemples : *francophile, anglophile, philosophe, philatéliste, philanthrope ...*

4) Dans les mots comportant la racine **phone** (= voix, son).

Exemples : *phonographe, téléphone, électrophone, aphone, cacophonie ...*

5) Dans les mots comportant la racine **graphe** (= écrire).

Exemples : *orthographe, graphique, graphologie, dactylographie, sténographie ...*

Exercices d'application

— Séance 55 : exercices ⑧ à ⑬ , pages 181-182.

⑭ **Synthèse. Sans vous reporter aux fiches complétez chaque colonne du tableau suivant par le maximum de mots** (au brouillon).

Le son **fe** s'écrit :

f : afin ....
ff : affaire ....
ph : téléphone..

• **FAUT-IL *N* OU *M*?**
• **FAUT-IL *EX* OU *EXC*?**

☐ **Test personnel** *(au brouillon)*

1) Mettez un *n* ou un *m* : i...trouvable, i...possible, sy...pathie, essai..., plo...bier, bo...bonne, le tei...t, le ti...bre, le parfu... .

2) Mettez *ex* ou *exc* : ...ellent, ...act, ...lure, ...ubérance, ...igible, ...ister, ...iter, ...agérer.

Corrigé

2) excellent, exact, exclure, exubérance, exigible, exister, exciter, exagérer.

1) introuvable, impossible, sympathie, essaim, plombier, bonbonne, teint, timbre, parfum.

► *Si vous avez commis* deux fautes ou plus *cette leçon vous est nécessaire.*

► *Faut-il n ou m ?*

1 ◼ **OBSERVEZ LES MOTS SUIVANTS**

n :	rond, indocile, hanter, saint, entier
m :	rompre, imprécis, ambulance, symbole, emmancher

2 ◼ **RÉFLÉCHISSEZ ET EXERCEZ-VOUS**

① **Les sons « on », « in », « an » etc., s'écrivent en principe avec un *n* comme dans la première série de mots.**

Devant *trois consonnes* le *n* se transforme en *m* dans la deuxième série. Lesquelles ?

② **A l'aide du préfixe *in* écrivez les contraires des mots suivants :**

Exemples : *égal* ➞ *inégal,   possible* ➞ *impossible*

parfait	trouvable	modéré	possible
mobile	buvable	prévisible	battable
discret	matériel	fructueux	délicat

mortel	conscient	attaquable	variable
digne	payable	pénétrable	certain
défendable	moral	perceptible	fidèle

Conclusion : devant quelles consonnes *in* s'est-il transformé en *m* ?

③ **Remplacez les points par *n* ou *m*.**

a...nuel	sy...pathie	e...bryon	co...bat
e...tier	po...pon	trio...phe	co...pagnon
e...barcation	sy...phonie	ga...bade	co...tent
ho...teux	e...barras	e...fant	co...scrit
plo...bier	hu...ble	i...scrit	

④ **Parmi les mots suivants, relevez ceux qui font exception à la règle que vous venez de dégager :**

plombier, bonbon, bonbonnière, bombe, bonbonne, emmitoufler, néanmoins, rompre, embonpoint, emmener, mainmise, emploi.

---

3 BILAN RÉCAPITULATIF

FICHE 140	**N OU M ?**

- On écrit les syllabes **on, en, in**... avec une voyelle et la consonne **n**.
  Exemples : *inscription, rond, enrouler.*
- *Mais le n se transforme en **m** devant les consonnes **m, b, p**.*
  Exemples : *impératif, rompre, emmener, embarquer, timbre, triomphe.*
  Exceptions : bohbon, bonbonnière, bonbonne, embonpoint, mainmise, néanmoins.
- Dans de rares mots, à la finale, en peut aussi trouver **m**.
  Exemples : *parfum, essaim, thym.*

Exercices d'application

— Séance 56 : exercices ②, ③ et ④, pages 184-185.

▶ *Faut-il écrire* ex *ou* exc *au début des mots ?*

1 OBSERVEZ LES MOTS SUIVANTS ET PRONONCEZ-LES

- « **esk** » : escalier, escalade, escargot (pas de *x*)
- « **egz** » : exact, exemple, exister, exigu, exhumer
- « **eks** » : excellent, exciter, excepté, exclure, exploit, expliquer, extérieur.

2 RÉFLÉCHISSEZ ET EXERCEZ-VOUS

⑤ **Dans la première série où vous prononcez** « *esk* », **y a-t-il un** *x* ?

— **Continuez la liste des mots suivants avec le son** « esk ».

- escadrille, escapade, esclave...
- resquiller, rescapé, description...

⑥ **Dans la deuxième série où vous prononcez** « *egz* », **y a-t-il un** *c* **après le** *x* ?

— **Continuez la liste proposée par cinq ou six autres mots commençant par** *ex* **prononcé** « egz ».

⑦ **Dans la troisième série où vous prononcez** « *eks* » **que trouve-t-on juste après le** *x* ?

— **Trouvez cinq ou six autres mots commençant par** *exc*.

⑧ **Remplacez les points par** *ex* **ou** *exc* **(prononcez bien chaque mot) :**

un e...cès, un ...amen, une ...eption, un ...itant, ...eptionnel, une ...use, ...agérer, ...entrique, l'...istence, l'...ubérance, des prix ...orbitants, ...aucer des vœux, une plante ...otique, se sentir ...édé, un simple ...écutant, la somme ...igible, une ...ellente affaire.

3 BILAN RÉCAPITULATIF

FICHE 141	EX OU EXC ?

Avant d'écrire, *dressez l'oreille*
- *si on prononce « esk » il n'y a pas de x :* escalier, escalade, escargot.

- *si on prononce «egz» il faut écrire **ex** suivi d'une voyelle ou d'un h muet.*

  Exemples : ***exact, exemple, ex**hausser (un mur)*

- *si on prononce «eks» il faut écrire **exc** (ou ex suivi d'une consonne).*

  Exemples : ***excellent, exciter, exc**éder* (expérience, exploit)

Exercices d'application

— Séance 56 : exercices ⑥, ⑦ et ⑧, page 186.

Séance 57 - RÉVISION 9
LES SONS - CONSONNES

A revoir

— *fiche 128 : s* ou *ss*?
— *fiche 129 :* la cédille,
— *fiche 130 à 132 :* le son « se »,
— *fiche 133 :* le son « ze »,
— *fiche 134 à 137 :* le son « ke »,

— *fiche 138 :* le son « je » et le son « gue »,
— *fiche 139 :* le son « fe »,
— *fiche 140 : m* ou *n*?
— *fiche 141 : ex* ou *exc*?

EXERCICES

Fiches 128 à 132

① **Remplacez les points par** *s, ss, c* **ou** *ç* **:**

Il était épui...é - Per...onne ne doit vi...er cette ...ible - Il a vi...é un piton dans la cloi...on et l'a traver...ée - Nous sommes obéi...ants - Cette ca...erole est per...ée comme un arro...oir - La ba...e est la partie la plus ba...e de l'édifi...e - Le ma...on prit ...es outils et per...a le mur - Nous lan...ons une offen...ive.

② **Remplacez les points par** *si, ci* **ou par** *ti* **:**

L'autop...e, la minu...e, la pharma...e, l'iner...e, la prophé...e, la démocra...e.

③ **Trouvez six noms terminés par** *ation* **comme** *opération* **et six noms terminés par** *ssion* **comme** *mission*.

④ **Remplacez les points par** *t, s, ss* **ou** *c* **:**

La po...e...ion, la discré...ion, la publica...ion, la progre...ion, l'émo...ion, l'e...en...iel, superfi...el, offi...el, la défini...ion, la sécré...ion, la répercu...ion, la discu...ion.

⑤ **Proposez quatre ou cinq verbes dans lesquels on trouve** *sc.*

Fiches 133 à 138

6 **Remplacez les points :**

— **par _s_ ou _z_ pour faire le son « ze » :**

Pri...on, hori...on, florai...on, rai...on, ga...on, mai...on.

— **par _c_ ou _qu_ pour faire le son « ke » :**

...lasse, ...olonne, ...artier, ...otient, é...ueil, re...ueil, ...ittance, un fabri...ant, inatta...able, criti...able, communi...able, un banc publi..., l'école publi..., inexpli...able.

— **par _c_ ou _cc_ :**

a...user, a...acia, a...aparer, a...rocher, a...compte, o...uper, a...ident, o...ulaire, o...asion.

7 **Notez :**

— **cinq mots qui comportent _ga_ comme _hangar_.**

— **cinq mots qui comportent _go_ comme _gorille_.**

— **cinq mots qui comportent _gue_ comme _déléguer_.**

— **cinq mots qui comportent _gui_ comme _guidon_.**

Fiches 139 à 141

8 **Proposez quelques mots qui comportent :**

La racine _phone_ (= voix, son) - la racine _graphe_ (= écrire) - la racine _phil_ (= ami).

9 **Avec le préfixe _in_ écrivez les contraires des mots suivants :**

Attaquable, patient, variable, matériel, digne, certain, buvable, modéré, délicat.

10 **Remplacez les points par _ex_ ou _exc_ :**

...amen, ...otique, ...ellent, ...hausser (une maison), ...éder, ...ister, ...iter, ...entrique, ...igible, ...écutant.

☐ **Test personnel** *(au brouillon)*

Doublez ou non la lettre entre parenthèses : au(d)ition, a(d)ition, a(d)itionner, a(b)rupt, a(b)é, a(b)aye, a(b)lette, su(g)estion, dé(g)uster, a(g)raver, a(g)lomération, a(l)égresse, enco(l)ure, ba(l)afre, i(l)uminer, si(l)ence, a(l)umette, tranqui(l)ité, atte(r)ir, cha(r)ette, cha(r)iot, i(r)itable, pa(r)ain, i(r)onie, nou(r)iture, co(r)iace.

Corrigé

audition, addition, abrupt, abbé, abbaye, ablette, suggestion, déguster, aggraver, agglomération, allégresse, encolure, balafre, illuminer, silence, allumette, tranquillité, atterrir, charrette, chariot, irritable, parrain, ironie, nourriture, coriace.

► *Si vous avez commis* deux fautes ou plus *cette leçon vous est nécessaire.*

► b, d, g : *trois consonnes qui doublent rarement*

FICHE 142	ÉCRIVEZ AVEC **BB, DD, GG**

• *Le b double seulement dans :* abbé, rabbin, sabbat (et les mots de la même famille).

• *Le d double seulement dans :* addition, adduction, réddition (et les mots de la même famille).

• *Le g double seulement dans :* agglomérer, agglutiner, aggraver, suggérer (et les mots de la même famille).

EXERCICES

① *bb*. En utilisant le dictionnaire :

a) Cherchez le sens des mots : *rabbin* et *sabbat*.

b) Notez les mots de la famille d'*abbé* et de *sabbat*.

② *dd*. Notez les mots qui, commençant par *ad*, prennent *dd*. Classez-les en deux familles.

③ **gg.** Notez les mots de la même famille que chacun des quatre qui vous sont indiqués comme comportant **gg**.

④ Remplacez les points par la consonne simple ou double qui convient :

Une a...aye opulente - un a...itif au texte - il faut a...itionner ces chiffres - une a...lomération importante - des arbres à a...attre - l'église a...atiale - s'a...osser au mur - une a...ravation de la situation - une tenue su...estive.

▶ *Un L ou deux :* LL *?*

---
1 **OBSERVEZ LES MOTS SUIVANTS**
---

l : aluminium, culbuter, calme, valse, enlever
ll : collier, allonger, alliance, nullité, ballon

---
2 **RÉFLÉCHISSEZ ET EXERCEZ-VOUS**
---

⑤ D'après les mots précédents *l* peut-il doubler :
— avant ou après une consonne ?
— simplement entre deux voyelles ?

⑥ En utilisant le dictionnaire remplacez les points par *l* ou *ll* :

a...cool	a...iage	a...égresse	a...iance	a...ô
a...arme	a...er	a...emand	a...ié	a...ocution
a...erte	a...izé	a...ourdir	a...ouette	a...ors
a...gue	a...éger	a...manach	a...phabet	a...onger
a...umer	a...ure			

⑦ Regroupez les mots suivants par famille (exemple : famille de *cou*) et précisez si, à l'intérieur d'une même famille, les mots prennent toujours soit *l*, soit *ll*.

collier	folle	allumage	salon	ballon
folie	nulle	nullement	affoler	folâtre
annuler	accoler	follement	encolure	nullité
allumer	salle	accolade	annulation	affolement
balle	se colleter	feu follet	torticolis	allumette
collerette				

191

⑧ **Placez le préfixe _il_ (qui signifie le contraire) devant les mots suivants :**
logique, légal, légitime, licite, lisible, lettré.
Que constatez-vous ?

⑨ **Remplacez les points par un _l_ ou deux _ll_ :**

ga...erie	tranqui...ité	mi...ième	ba...afre
po...aire	bu...etin	vi...ageois	voi...e
pa...issade	vo...et	si...ence	té...escope
po...en			

3 BILAN RÉCAPITULATIF

FICHE 143	ÉCRIVEZ AVEC **L** OU **LL**

- Le **L** ne peut doubler qu'entre deux voyelles.

  Exemples : *illusion, allonger, illégal.*
- Seul le dictionnaire peut indiquer si un mot comporte **l** ou **ll**. Mais le tableau qui suit peut vous guider.

Exercices d'application

— Séance 58 : exercices ⑥ à ⑨, pages 191-192.

TABLEAU A CONSULTER

① *Les mots commençant par al* prennent, pour la plupart, **ll** :
Exemples : *allant, allure, aller, alliage, allumer...*

- *Mais* certains ne prennent qu'un **l**, en particulier les mots usuels suivants : alerte, alentour, alibi, aligner (et ses dérivés), aliment (et ses dérivés), alizé, aliter, alourdir, aluminium.

② *Les mots commençant par el* ne prennent qu'un **l** :
Exemples : *élastique, élan, électricité.*

- *Exceptions :* elle, ellipse (et ses dérivés).

③ *Les mots commençant par il* prennent **ll** :
Exemples : *illusion, illustration, illisible, illégal...*

- *Exceptions :* île (et ses dérivés).

Un seul l	*Deux l*
— le salon	— la salle
— le col, l'encolure, l'accolade, accoler	— le collier, la collerette, se colleter
— la colonne, le colonel	— la colline, la colle, la collection
— le balais (balayer)	— le ballet (danse)
— la balafre, la balance, la balançoire, la balise, la baleine	— la balle, le ballon
— la balade (fam. promenade)	— la ballade (poème)

Exercez-vous avec ce tableau. Lisez fréquemment les mots, recopiez-les, faites-les vous dicter.

▶ *Un r ou deux : rr ?*

1 OBSERVEZ LES MOTS SUIVANTS

r : une tare, la carotte, l'encre, le tigre, l'arbitre
rr : la terre, le barreau, la charrette, le carré

2 RÉFLÉCHISSEZ ET EXERCEZ-VOUS

⑩ **D'après les mots précédents *r* peut-il doubler :**
  — avant ou après une consonne ?
  — simplement entre deux voyelles ?

⑪ **Cherchez dans le dictionnaire tous les mots de la famille de *terre* :**
  Exemples : *terrain, atterrir, déterrer...*
  Que constatez-vous ?

⑫ **Dans les mots suivants le préfixe *ir* (qui signifie le contraire) s'est ajouté devant un autre mot. Précisez lequel ?**
  Exemple : *irrégulier ⟶ ir + régulier*

  Irréalisable, irrationnel, irréconciliable, irréfléchi, irremplaçable, irréparable, irrésolu, irresponsable, irréel.

⑬ **Cherchez dans le dictionnaire d'autres mots commençant par *ir* et prenant *rr*.**

Exemple : *irritable.*

⑭ **Remplacez les points par *r* ou *rr* :**

a...êt	te...ible	a...estation	i...itation	a...ière
a...ête	ho...eur	te...eur	a...istocrate	ma...on
e...eur	pe...on	a...gent	aé...ien	a...acher
pa...ain	a...ène	a...ogant	a...iver	a...oser

3 BILAN RÉCAPITULATIF

FICHE 144	ÉCRIVEZ AVEC R OU RR

- Le r ne peut doubler qu'entre deux voyelles.

  Exemples : *terre, arrêt, arrogant, parrain.*
- Seul le dictionnaire peut indiquer si un mot s'écrit avec r ou rr. Mais le tableau qui suit peut vous guider.

Exercices d'application

— Séance 58 : exercices ⑬ et ⑭ , page 194.

TABLEAU A CONSULTER

① *Les mots commençant par ter* prennent **rr** (si c'est une voyelle qui suit).

- Exemples :

— mots de la famille de *terre* : *terrain, terrestre, terreau, terrasse, terrasser, territoire... (enterrer, déterrer, atterrir...)*

— *terreur, terrible, terrifier, terroriste...*

- *Exception :* térébenthine.

② *Les mots commençant par ir* prennent, pour la plupart **rr**.

- Exemples : *irritable, irruption, irrégulier...*

- *Exceptions :* iris, iranien, irascible, ironie (et leurs dérivés).

③ *Les mots de la famille de **char** prennent **rr**.*

- Exemples : *charrette, charretier, charrue.*
- *Exception :* chariot.

④ *Quelques mots usuels :*

Avec un seul r	*Avec deux r*
— les mots commençant par **bar** : baron, barème, baril, baraque...	— seulement : barrage, barre, barreau, barricade, barrique, barrir (et les mots de leurs familles)
— **ér**able, ériger, érosion...	— errer (et les mots de la même famille)
— **pér**il, période...	— perron, perroquet, perruque (et les mots de leurs familles)
	— les mots de la famille de *nourrir* : nourriture, nourrice, nourrisson...
	— les mots de la famille de *pourrir* : pourriture, pourrissement...
— **cor**olle, coriace, carotte, caractère, caresse, carillon, carence	— corrida, carreau, carrière, carré, carrefour, carrelage, carriole, carrosse, carrossier

Exercez-vous avec ce tableau. Lisez fréquemment les mots, recopiez-les, faites-les vous dicter.

Séance 59 - LES CONSONNES DOUBLES : M, N

☐ **Test personnel** *(au brouillon)*

Écrivez ces mots en doublant ou non le *m* ou le *n* : é(m)otion, é(m)erveillé, e(m)êlé, co(m)ander, co(m)édie, co(m)estible, no(m)er, no(m)inal, so(m)eil, i(m)iter, i(m)erger, i(n)ocent, mo(n)aie, mo(n)étaire, millio(n)aire, colo(n)el, colo(n)e, colli(n)e, réso(n)ance.

Corrigé

émotion, émerveillé, emmêlé, commander, comédie, comestible, nommer, nominal, sommeil, imiter, immerger, innocent, monnaie, monétaire, millionnaire, colonel, colonne, colline, résonance.

► *Si vous avez commis* deux fautes ou plus *cette leçon vous est nécessaire.*

► *Un* m *ou deux :* mm ?

1 OBSERVEZ LES MOTS SUIVANTS

> **m** : armure, empêcher, matériel, amer, image
> **mm** : emmener, bonhomme, immédiat, commettre

2 RÉFLÉCHISSEZ ET EXERCEZ-VOUS

① **D'après les exemples donnés (ou d'autres exemples)** *m* **peut-il doubler :**

1) **au début d'un mot ?**

2) **avant ou après une consonne ?**

3) **entre deux voyelles ?**

② **En utilisant le dictionnaire, notez une dizaine de mots usuels commençant par** *som* **(suivi d'une voyelle) :**

Exemples : *sommeil, sommier...*

Que constatez-vous ?

③ **Formez des verbes commençant par *em* ou *ém* à partir des mots suivants et classez-les ensuite en deux catégories selon qu'ils s'écrivent *em* ou *emm* :**

mur, manche, migration, merveille, ménage, mêlé, marge, miette, mener, maillot.

④ **Cherchez une dizaine de mots usuels :**
— **commençant par *imm*,**
— **commençant par *comm*.**

⑤ **Remplacez les points par *m* ou *mm* :**

bonho...e - bonho...ie - ho...icide - ho...e - ma...ifère - ma...elle - no...er - so...eil - enso...eillé - a...oniac - a...our - a...ateur - do...age - co...ander - co...édie - reno...ée - ho...age - co...erce.

---

3 BILAN RÉCAPITULATIF

FICHE 145	M OU MM ?

• **m** ne peut doubler qu'entre deux voyelles.

Exemples : *consommer, comme, dommage, immédiat*.

• Seul le dictionnaire peut indiquer si un mot comporte **m** ou **mm**. Mais le tableau qui suit peut vous guider.

Exercices d'application

— Séance 59 : exercices ② à ⑤, pages 196-197.

TABLEAU A CONSULTER

Écrivez avec un **m**	Écrivez avec deux **m**
am : amande, amortir, amitié, amener...	— *seulement :* ammonite, ammoniac (et les mots de la même famille)
com : coma, comique, comédie, comestible, comète, comité...	— comme, commander, commettre, commerce, commis, commission, commande, commun, communiquer

dom : tous les mots	— *seulement* : dommage
em : émail, émanation, émanciper, émerger, éméché, émarger, émerveiller, émotion, émietter, émigrer, éminence, émulation...	— emmancher, emmêler, emménager, emmener, emmitoufler, emmurer
hom : homicide, bonhomie, prud'homal	— homme, hommage, bonhomme, prud'homme, gentilhomme
im : *seulement* : image et imiter (et les mots de leur famille)	— immédiat, immense, imminent, immaculé, immerger
mamelle : mamelon	— mammifère, mammaire
nom : nominal, nominatif, nomination	— nommer, renommée
som : *seulement :* soma, somatique	— somme, sommeil, sommeiller, sommier, ensommeillé. mais **mn** : somnifère, somnanbule, somnolent, somnoler. — sommet, sommaire, sommation, somme (d'argent), sommité — les adverbes en « aman » (fiche 81)

Exercez-vous avec ce tableau. Lisez fréquemment les mots, recopiez-les, faites-les vous dicter.

▶ *Un* n *ou deux :* nn ?

1 OBSERVEZ LES MOTS SUIVANTS

n : énoncé, entraîner, tonsure, interdit
nn : enneiger, innombrable, tonneau, cantonnier

6 D'après les exemples donnés, *n* peut-il doubler :

1) au début d'un mot ?

2) avant ou après une consonne ?

3) entre deux voyelles ?

7 A l'aide du préfixe *in.*

a) Formez des *mots de sens contraire* :

abordable, attention, accessible, accoutumé, aperçu, amovible, ébranlable, exprimé, extensible, opportun, habile, navigable, nombrable, né, usité, intelligent.

Lesquels prennent *nn* ?

b) Complètez les mots suivants *qui prennent nn* :

...nocent - ...nerver - ...nocemment - ...nocenté - ...novateur - ...novation

Vérifiez le sens de ces mots ?

8 Formez les verbes de la même famille que les mots suivants commençant par *en* :

orgueil, cadre, neige, noble, nuage, ennui.

9 Cherchez des mots de la famille des mots suivants et classez-les en deux catégories selon qu'ils s'écrivent avec *n* ou *nn* :

— *bon :* bonne, débonnaire...

— *don :* donner, donation...

— *patron :* ...

— *son :* ...

— *ton :* ...

— *monnaie :* ...

— *canton :* ...

— *honneur, honnête :* ...

3 **BILAN RÉCAPITULATIF**

FICHE 146	**N** OU **NN** ?

• n ne peut doubler qu'*entre deux voyelles.*

Exemples : *ennuagé, ennemi, monnaie, innocent.*

- **n** ne double pas dans *le corps des mots* ou à *la fin* après un **i**.

   Exemples : *raviné, piétinement, raffiné.*

- Seul le dictionnaire peut indiquer si un mot s'écrit avec **n** ou **nn**. Mais le tableau suivant peut vous guider.

Exercices d'application

— Séance 59 : exercices ⑦ à ⑨, page 199.

TABLEAU A CONSULTER

Écrivez avec un **n**	Écrivez avec deux **n**
bon : bonasse, boni, bonifier, bonification	— bonne, bonnement, débonnaire
don : donataire, donateur, donation	— donner, la donne, la donnée, donneur
canton : cantonal	— cantonnier, cantonner, cantonnement
colon : colonie, colonial, coloniser, colonel, colline	— colonne
hon : honorer, honoraire, déshonorer	— honnête, honnêteté, déshonneur, honneur
mon : monétaire, démonétiser	— monnaie, monnayer, faux-monnayeur
million : millionième	— millionnaire
patron : patronage, patronal, patronat	— patronner, patronnesse
son : sonate, sonore, consonance, dissonance, résonance	— sonner, sonnaille, sonnerie, sonnette, consonne, résonner
ton : tonal, tonalité, monotone	— entonner, détonner (chanter faux)

Exercez-vous avec ce tableau. Lisez fréquemment les mots, recopiez-les, faites-les vous dicter.

Séance 60 - LES CONSONNES DOUBLES : P, T

☐ **Test personnel** *(au brouillon)*

Doublez ou non la consonne entre parenthèses : la gri(p)e, la trou(p)e, la fra(p)e, la su(p)ression, l'a(p)othéose, l'a(p)étit, l'a(p)éritif, l'envelo(p)e, myo(p)e, o(p)oser, o(p)inion, a(p)ercevoir, a(p)araître, a(p)aiser, a(t)elier, a(t)ache, ba(t)re, ba(t)aille, ba(t)aillon, crê(t)e, banque(t)e.

Corrigé

bataillon, crête, banquette.
opposer, opinion, apercevoir, apparaître, apaiser, atelier, attache, battre, bataille,
grippe, troupe, frappe, suppression, apothéose, appétit, apéritif, enveloppe, myope,

► *Si vous avez commis* deux fautes ou plus *cette leçon vous est nécessaire.*

► *Un p ou deux :* pp *?*

1 OBSERVEZ LES MOTS SUIVANTS

p : apéritif, apercevoir, superficie, opinion
pp : apprenti, application, suppression, appeler, enveloppe, grippe

2 RÉFLÉCHISSEZ ET EXERCEZ-VOUS

① Le *p* peut-il doubler :

1) **Entre deux voyelles ? Donnez des exemples.**

2) **Devant des consonnes ? Lesquelles dans les exemples proposés.**

② **En utilisant le dictionnaire :**

— **trouvez cinq verbes usuels commençant par** *app*,

— **trouvez cinq verbes usuels commençant par** *ap*.

③ **Les mots suivants se terminent tous par** *pe* **ou** *ppe*. **A vous de compléter sans erreur :**

la tra..., la gra..., la ca..., la cou..., la trou..., la gri..., la ste..., la râ..., l'éta..., être myo..., la force de fra..., l'envelo... .

④ **Remplacez les points par *p* ou *pp* :**

le tra...èze, le tra...eur, l'hi...odrome, l'a...éritif, l'a...othéose, l'a...areil, l'a...arition, l'o...inion, l'o...ression, la su...ression, le su...ort, la su...erficie.

---

3 **BILAN RÉCAPITULATIF**

FICHE 147	**P OU PP ?**

- Le **p** peut doubler :
  - — entre deux voyelles : enveloppe, appartement
  - — devant **l** ou **r** : apprendre, supplier
- Seul le dictionnaire peut indiquer si un mot s'écrit avec **p** ou **pp**. Mais le tableau suivant peut vous guider.

Exercices d'application

— Séance 60 : exercices ② à ④, pages 201-202.

TABLEAU A CONSULTER

Écrivez avec un **p**	Écrivez avec deux **p**
ap : les cinq *verbes* suivants : apaiser, apercevoir, apitoyer, aplanir, apostropher	— tous les autres *verbes* commençant par **ap** : apparaître, approuver, appliquer, approcher, appeler...
ap : apanage, apathie, apéritif, apogée, aplomb, apostrophe, apothéose...	— apposition, appareil, appel, apparition, appartement, application, appât, appendice, appétit, apprenti, approbation, approche...
op : opaque, opinion, opuscule, opérer, opulent	— *seulement :* opportun, opposer, oppresser, opprimer et les mots de la même famille

sup : superficie, superbe, suprématie, suprême — mots commençant par le préfixe *super* ou *supra*	— suppression, supprimer, supporter, support, suppléer, suppléant, supplier, supplice... (et la plupart des mots commençant par *sup*)
	hippo (cheval) : hippodrome, hippique, hippopotame
— attraper, une attrape	**trappe** : trappeur
à la fin des mots : cape, coupe, étape, groupe, myope, râpe, troupe...	— enveloppe, grappe, frappe, houppe, nappe, steppe, trappe, varappe

Exercez-vous avec ce tableau. Lisez fréquemment les mots, recopiez-les, faites-les vous dicter.

▶ *Un* t *ou deux :* tt *?*

1 OBSERVEZ LES MOTS SUIVANTS

t : bataille, atelier, côté, chaton
tt : battre, attendre, attrait, attrister, chatte

2 RÉFLÉCHISSEZ ET EXERCEZ-VOUS

(5) Le *t* peut-il doubler :
    1) Entre deux voyelles ? Donnez des exemples.
    2) Devant une des consonnes ? Laquelle ?

(6) Cherchez tous les mots de la famille de *battre* et classez-les en deux catégories selon qu'ils s'écrivent *t* ou *tt*.
    Exemples : • *battre, débattre...*   • *bataille, batailleur...*

(7) Notez une dizaine de verbes commençant par *att*.

⑧ Complétez les mots suivants :

— **par** *ate* **ou** *atte* : un acrob..., une tom..., une sav..., une d... (fruit), une d... (chiffre), une p..., une crav..., une n..., une ch..., une l... .

— **par** *ote* **ou** *otte* : la h..., la b..., le v..., la m..., la n..., la s... .

— **par** *ute* **ou** *utte* : la ch..., la h..., la b..., la l..., la culb..., la br... .

— **par** *ette* **ou** *ête* : la qu..., la banque..., la raqu..., la maisonn..., la cass..., la camionn..., la mall..., la f..., la d..., la cuv..., la t... .

⑨ Mettez au féminin les adjectifs entre parenthèses (*ette* ou *ète*) :

une femme (muet), une personne (coquet), une allusion (discret), une entrevue (secret), une réponse (net).

⑩ Remplacez les points par *t* ou *tt* :

• un a...las, une a...ache, un a...elier, un a...elage, l'a...ention, l'a...ome, l'al...itude, l'a...estation, l'a...irance, l'a...hlète, l'a...itude,

• le co...on, la co...ation, le co...age, la co...e de mailles,

• la piroue...e, le cha...on, la cha...ière, le gra...in, le gra...age.

---

3 | BILAN RÉCAPITULATIF

FICHE 148	**T OU TT ?**

• Le **t** peut doubler :
  — <u>entre deux voyelles :</u> chatte, botte
  — <u>devant le *r* :</u> attrister, attrait, battre.

• Seul le dictionnaire peut indiquer si un mot s'écrit **t** ou **tt**. Mais le tableau suivant peut vous guider.

Exercices d'application

— Séance 60 : exercices ⑥ à ⑩ , pages 203-204.

TABLEAU A CONSULTER

Écrivez avec un **t**	Écrivez avec deux **t**
at : atlas, atome, atout, atroce, atelier, âtre, athée, athlète, atrophie	— la plupart des mots commençant par **at** : • *verbes :* attacher, attaquer, attarder, attendre, atteindre, atteler, atterrir, attendrir, atténuer, atterrer, attraper, attester, attirer, attrister, attribuer... • *autres mots :* attention, attentif, attache, attaque, atteinte, attirant...
bat : — bataille, batailleur, bataillon, batailler — bâtard, bâtir, bâtiment, bateau, bâton, batelier, bâtisseur	— battre et les verbes dérivés (abattre, combattre, débattre...) — battage, battant, battement, batterie, batteur, batteuse, battoir, la battue
chat : chaton, chatier, chatoyer ***grat*** : gratin, gratiner	— chatte, chatterie — grattage, grattoir
	— **diminutifs** en **ette** : maisonnette, cassette, cuvette, tablette, banquette, règlette...

Exercez-vous avec ce tableau. Lisez fréquemment les mots, recopiez-les, faites-les vous dicter.

Rappel

① Les consonnes suivantes ne doublent jamais	h, j, k, q, v, x, z (sauf : jazz, blizzard, razzia)
② Les consonnes suivantes doublent rarement	b, d, g, *(fiche 142)*
③ Les consonnes suivantes ne peuvent doubler qu'entre deux voyelles	l *(fiche 143)*, r *(fiche 144)* m *(fiche 145)*, n *(fiche 146)*
④ Les consonnes suivantes peuvent doubler : — entre deux voyelles — devant *l* ou *r*	f *(fiche 139)* devant *l* et *r* c *(fiche 135)* devant *r* t *(fiche 148)* devant *r* p *(fiche 147)* devant *l* et *r*

EXERCICES

① **Trouvez une quinzaine de mots dans lesquels double soit le *b*, soit le *d*, soit le *g*.**

② **Remplacez les points par :**

— *l* ou *ll* : le co...ier, l'acco...ade, la co...onne, la co...ine, le sa...on, la sa...e, le ba...ai, le ba...et, i...usion, î...ot, a...iage, a...ure, a...ibi.

— *r* ou *rr* : te...estre, atte...ir, i...onie, i...uption, i...itable, cha...iot, cha...ette, te...itoire, a...ogant, pé...iode, nou...ir, mou...ir, pou...ir, ca...actère, pe...uque, ca...ossier, ca...efour, ca...eau.

— *m* ou *mm* : co...ander, co...ique, co...édie, co...ission, do...age, e....êler, é...anation, é...igrer, ho...age, ho...icide, bonho...ie, ma...elle, ma...ifère, no...er, no...inal, so...eil, so...et.

— *n* ou *nn* : débo...aire, bo...ifier, bo...asse, do...er, do...ation, canto...al, canto...ier, mo...aie, mo...étaire, ho...ête, désho...eur, ho...oraire, millio...aire, patro...e, patro...age, so...er, so...ore, réso...ance, ento...er, to...alité.

③ **Quels sont les cinq verbes commençant par *ap* qui ne prennent qu'un *p* ? Écrivez-les.**

④ **Trouvez quatre verbes commençant par *sup* et qui prennent deux *p* (supp...)**

⑤ **Trouvez une dizaine de verbes commençant par *at* et qui prennent deux *t* (att...)**

⑥ **Remplacez les points :**

— **par *p* ou *pp* :** hi...odrome, tra...eur, su...erficie, o...inion, o...ortun, o...oser, a...areil, a...el, a...athie, a...othéose, a...ercevoir, a...rocher, a...robation, envelo...e, ste...e, grou...e, éta...e.

— **par *t* ou *tt* :** a...ome, a...out, a...hlète, ba...aille, ba...re, comba...re, ba...ement, bâ...iment, ba...eau, gra...er, gra...iner, cuve...e, table...e, banque...e, cha...oyer.

⑦ **Pouvez-vous trouver de mémoire... ?**

— **10 noms comportant *ll*,**
— **10 noms comportant *rr*,**
— **10 noms comportant *mm*,**
— **10 noms comportant *tt*.**

Séance 62 - LE SON « É » ET LE SON « È »

Test personnel *(au brouillon)*

Écrivez le son « é » ou « è » dans les mots suivants : le marchepi...,
susp...ct..., le r...-de-chauss..., une enqu...te, la com...te, le d...c...s, la
r...ne (roi), un rep...re de brigands, l'arr...t, la par...sse, le palmar...s, le
c...rf, nos anc...tres.

Corrigé

paresse, palmarès, cerf, ancêtre.

marchepied, suspect, rez-de-chaussée, enquête, décès, reine, repaire, l'arrêt,

► *Si vous avez commis* deux fautes ou plus *cette leçon vous est nécessaire.*

► *Le son « é » : é, er, ez... ?*

1 OBSERVEZ LES MOTS SUIVANTS

é : été, écervelé, liberté, le dé

er, et, ez... : chanter, et, chez, pied, des, essence

2 RÉFLÉCHISSEZ ET EXERCEZ-VOUS

① *Rappel* (revoir *fiches 1 et 2*). **Placez sur les mots suivants les accents
aigus ou les accents graves qui conviennent :**

creme, epee, serenite, eleve, j'espere, malgre, chene, il est epuise, il avait
ete fatigue, le linge seche, recent, regle.

② **Mettez ou non un accent sur les *e* non muets dans les mots suivants et
justifiez votre choix :**

Il faut *ecouter* et *respecter* chaque individu - La *gelee* a *disperse* les
oiseaux et *interrompu* la croissance des *vegetaux* - Nous allons *deterrer* ce
projet *abandonne* depuis l'*ete*.

③ **Voici des verbes à l'infinitif :** aimer, jouer, lancer, porter.

— Notez pour chacun le participe passé et la 2e personne du pluriel du présent de l'indicatif.

— Quelles sont les trois orthographes du son *é* qui apparaissent ainsi tour à tour ?

④ **Observez les mots suivants :**

• La défaite - le rez-de-chaussée - essoufler - l'essor - l'épicier - le nez - la marée - l'essence - les - des - le sanglier - le musée - l'éclat - désespéré - l'allée - le marchepied - remercier - il s'assied.

• **Classez-les par catégorie selon l'orthographe du son *é* (le même mot peut figurer éventuellement dans plusieurs catégories).**

3 ▌ BILAN RÉCAPITULATIF

FICHE 149	LE SON É

Selon les mots le son **é** peut être noté :

• *Par un **accent aigu** quand le *e* termine une syllabe.*
    Exemples : l'*été*, la liberté, le prétexte.

• *Sans accent* à la finale dans les mots terminés par :

er : chanter, fermer, épicier, jardinier, menuisier

ez : aimez, nez, rez-de-chaussée

ed : pied, il s'assied

es : les, ses, mes

• *Sans accent* au début de certains mots commençant par **ess**.
    Exemples : *essence, essouffler, essor, essayer...*

Exercices d'application

— Séance 62 : exercices ① à ④, pages 208-209.

*Revoir : **Fiches 1** et **2** :* accent aigu et accent grave.
    Fiche 97 : *é* ou *er* (participe passé ou infinitif).

▶ *Le son « è » : è, ê, ai... ?*

1 OBSERVEZ LES MOTS SUIVANTS ET PRONONCEZ-LES

è : père, compère, arrière, rivière
ê : fenêtre, hêtre, chêne
e *sans accent* **:** escalier, quel, mer, avec, belle, paresse
ai, ei : plaine, faire, abeille, seigle

2 RÉFLÉCHISSEZ ET EXERCEZ-VOUS

⑤ **Complétez au brouillon chacune des séries précédentes par 5 ou 6 mots.**

⑥ **Placez un accent grave ou un accent circonflexe sur le** *e* **des mots suivants** (revoir *fiche 4*) :

une enquete - le déces - l'éleve - un pret - l'ébene - un reve - un pretre - l'arene - la grele - le frere - la crete - la mere - j'espere - empecher - la tempete - il seche - la creme - vetir - arret - la bete - la comete.

⑦ **Placez ou non un accent sur le** *e* **non muet des mots suivants et justifiez** votre choix :

une personne - la guerre - il n'y a guere de chance - le desert - l'escale - la maisonnette - le prophete - la dette - l'epithete - le decret - le nerf - le verre - la misere - la cuiller - je prefere - la biere - le concert - le desert - l'univers - le cerf - l'expert.

⑧ **Quelques verbes :**

— **notez le participe passé des verbes suivants :** offrir, souffrir, découvrir,

— **l'infinitif des verbes en** *aître* **prend un accent circonflexe :** naître, connaître...

Notez-en cinq ou six autres.

⑨ **Classez les mots suivants en plusieurs catégories selon l'orthographe du** son *è* **en finale :**

le lait, l'essai, le progrès, le succès, le bouquet, le lacet, le balai, le palais, le cachet, l'intérêt, le décès, l'arrêt, un extrait, la forêt, le ballet (danse), l'aspect, le respect, le congrès, l'alphabet.

⑩ Terminez ces mots par le son « ère » :

— *er* ou *ère* : il est fi... - le somnif... - un f... à cheval - am... - un report... - la m... (eau) - la m... (maternel) - la cuill... - le mammif... - l'hiv...

— *ère* ou *air(e)* : je préf... - le ciel est cl... - en ch... et en os - un bibliothéc... - la mol... - scol... - littér... - la mis... - extr... - l'épici... - la bouch... - le sal... .

— *ère* ou *erre* : l'équ... - la clairi... - le tonn... - la panth... - le v... - il est sév... - une entreprise prosp... - la boulang... .

⑪ Orthographiez correctement le son è :

La salle est pl...ne - le m...re de la ville - la mis...re - un v...rre de l...t - un pi...ge - la r...ne d'Anglet...re - la n...ge - le man...ge - les chauss...ttes - le m...lleur - l'or...lle.

⑫ Précisez le sens des homophones (mêmes sons) suivants que l'orthographe distingue :

mer, mère, maire - faire, fer - repère, repaire - saine, scène, Seine - plaine, pleine - air, ère, aire - paire, père, il perd - reine, rêne, renne.

⑬ Une personne âgée de cent ans est *centenaire*. Notez le nom d'une personne âgée de :

40 ans, 50 ans, 60 ans, 70 ans, 80 ans, 90 ans.

---

3 BILAN RÉCAPITULATIF

FICHE 150	LE SON È

Selon les mots le son **è** peut être noté :

① *Par un accent grave* sur le e :
— Si le **e** termine une syllabe (voir *fiche 2*).
Exemples : *le cèdre, la règle, je précède.*
— Également devant un **s** final qui n'est pas la marque du pluriel.
Exemples : *après, exprès, auprès, près, très, dès, abcès, accès, décès, procès, succès, progrès, palmarès.*

② *Par un accent circonflexe* sur le e dans certains mots :
Exemples : *prêter, la fête, nos ancêtres.*
Voir *fiche 4 :* tableau des mots usuels comportant un accent circonflexe.

(3) **Sans accent** *sur le e :*

— *Devant un* ***x*** *:* exemple, réflexion.

— *Devant* **plusieurs consonnes** *:*
Exemples : *paresse, charrette, elle, festin, tertre, cerf.*
Mais : **lèvre, trèfle** (accent si la 2ᵉ consonne est **r** ou **l**).

— *Devant une* **consonne finale** *:*
Exemples : *grec, mer, net, avec, jet.*

(4) *Par* ***ai*** *ou* ***ei*** *:*
Exemples : *le flair, le maire, la plaine, la neige, beige, la reine.*

Exercices d'application

— Séance 62 : exercices (6) à (13), pages 210-211.
— Séance 67 : exercices (1) et (2), page 228.

Séance 63 - LE SON « O » ET LE SON « I »

☐ **Test personnel** *(au brouillon)*

1) Écrivez comme il convient le *son « o »* dans les mots suivants : le ham..., le drap..., le c...ne, le c...nifère, les c...tes du dessin, les cl...ses du contrat, la cl...ture, un ...teur.

2) Écrivez comme il convient le *son « i »* : le m...stère, le m...racle, ab...mer, le r...thme, le g...te, l'ox...gène.

Corrigé

2) mystère, miracle, abîmer, rythme, gîte, oxygène.

1) hameau, drapeau, cône, conifère, cotes, clauses, clôture, auteur.

► *Si vous avez commis* deux fautes ou plus *cette leçon vous est nécessaire.*

► *Le son « o » : o, ô, au ou eau ?*

1 OBSERVEZ LES MOTS SUIVANTS ET PRONONCEZ-LES

o : la fosse, fort, les morts, vorace

au : une réponse fausse, les Maures (montagnes), le vautour

ô : le cône (mais : le conifère), les côtes méditerranéennes (mais : les cotes d'un dessin)

eau : le coteau, le pinceau, l'eau, le râteau

2 RÉFLÉCHISSEZ ET EXERCEZ-VOUS

① **Essayez de distinguer par la prononciation :** fosse, fausse ; morts, Maures ; vorace, vautour ; côtes, cotes ; cône, conifère...

Que remarquez-vous ?

② **Voici (colonne *A*) des mots homophones (mêmes sons) qui se distinguent par l'orthographe et par le sens. Associez chacun d'eux dans une courte phrase à un mot de la colonne *B* :**

213

A	B
colon, côlon - cote, côte -	intestin, colonie - mer, dessin -
close, clause - beau, bot -	chambre, contrat - pied, paysage -
pose, pause - roder, rôder -	arrêt, attitude - moteur, rues -
hôtel, autel - sot, seau,	église, chambres - récipient, sauter,
saut, sceau	signature, manque de bon sens

③ **Remplacez les points par** *au* **ou par** *eau* :

bat... - mart... - taur... - ham... - pinc... - fourn... - chap... - mus... - perdr... - tabl... - poir... - carr... - escab... - boy... - noy... - tuy... - ét... .

④ **Mettez au pluriel les mots suivants** (voir *fiches 50 et 51*) :

le journal, le cheval, le travail, le vitrail, le soupirail, le bail, le canal, le corail, le mal.

⑤ **Mettez l'accent circonflexe où il est nécessaire** (voir *fiche 4*) :

le controle, l'odorat, octogonal, le cone, l'ogre, la cloture, cotoyer, le coté, le poste, un apotre, le quotient, le pole, une aumone, chomer, l'opération, un conifère.

⑥ **Remplacez les points par** *o, ô, au* **ou** *eau* :

une ...bjection, un ...fficier, l'...be, une ...berge, une ...bergine, un ...teur, un h...pital, un h...tel, un tonn..., un air h...tain, l'h...rizon.

---

3 ▌ BILAN RÉCAPITULATIF

FICHE 151	LES NOMS TERMINÉS PAR LE SON « O »

Beaucoup s'écrivent **eau**	Mais on écrit
Exemples : *le rateau, le marteau, le poireau, le tableau, le fourneau, le taureau, le hameau, le pinceau, le museau, le perdreau, le blaireau, le carreau, la bateau, le morceau, le tonneau, le barreau, le bandeau, le flambeau, le veau*	**au :** — les noms en « au » précédés d'une voyelle : boyau, noyau, tuyau, joyau, fabliau, gruau, fléau, préau — les noms : étau, landau, sarrau **aud :** badaud, nigaud, crapaud **aux :** la chaux, la faux, le taux **aut :** artichaut, défaut, soubresaut, saut (sauter)

> **o + consonne finale muette :**
> *oc :* broc, croc, accroc
> *oh :* oh ! (exclamation)
> *op :* galop, sirop, trop
> *ot :* canot, rabot, dépôt, escargot, cahot
> *os :* héros, les os, le clos

| FICHE 152 | MOTS EN **UM** ET EN **ALL** |

On prononce avec le son **o** les mots suivants :

• *en **um** :* (prononcer «om») géranium, aluminium, décorum, album, rhum, sérum, muséum...

• *en **all** :* (prononcer «ol» ces mots d'origine étrangère) le hall, le basket-ball, le football.

• oignon (prononcer «o» et non «oi»), saône.

| FICHE 153 | L'ACCENT CIRCONFLEXE SUR LE O |

TABLEAU A CONSULTER

Les mots usuels suivants s'écrivent ô		Mais
apôtre	fantôme *6*	*1* - aromate, aromatique, aromatiser
arôme *1*	frôler	*2* - conique, conifère
aumône	hôpital	*3* - coteau, cote (dessin)
cône *2*	hôtel	*4* - diplomate
côte (mer) *3*	impôt *7*	*5* - déposer, entreposer
à côté	ôter	*6* - fantomatique
côtoyer	pylône	*7* - imposer, imposition, imposable
clôture	rôle	*8* - symptomatique
chômer (et dérivés)	rôti	
contrôle	symptôme *8*	
diplôme *4*	tôle	
dôme	tôt	
dépôt *5*	trône	
entrepôt		

Exercices d'application

— Séance 63 : exercices ② à ⑥, pages 213-214.

▶ *Le son « i » : i, î ou y ?*

FICHE 154	ORTHOGRAPHE DU SON « I »

- *Il s'écrit le plus souvent i :* silence, fil, admirer
- *Il s'écrit î* dans les mots usuels suivants :

    abîme (mais : cime), abîmer, dîme, dîner (et les mots de la famille), gîte, gîter, huître, épître, île, îlot. (Voir page 14.)

- *Il s'écrit y* dans un nombre important de mots usuels :

    — de la famille de **cycle** : cycliste, cyclique, bicyclette, recycler, cyclone, encyclopédie...

    — de la famille de **psycho** : (= esprit) : psychologie, psychologue, psychiatre...

    — de la famille de **hydro** : (= eau) : hydrogène, hydraulique, déshydrater...

    — de la famille de **physio** : (= nature) : physique, physiologie, physionomie...

    — divers : rythme, mythe, pylone, pyramide, système, type, oxygène, cyprès, mystère, hygiène, gymnastique...

EXERCICES

⑦ **Remplacez les points par *i*, *î* ou *y* :**

la r...me, le r...thme, le d...ner, l'...le, le c...gne (oiseau), le s...gne, le catacl...sme, l'hu...tre, la ps...cholog...e, la cr...t...que, la fat...gue, le s...stème, la c...me, l'ab...me.

⑧ **Remplacez les points par *i*, *î* ou *y* :**

un homon...me, l'ox...gène, la d...me, le s...gnal, le g...te, le g...sement, le c...cle, la b...c...clette, la ph...s...que, la ph...sionom...e, l'ép...tre, la g...mnast...que, l'ét...molog...e, le m...stère, le m...racle.

⑨ **Sans consulter la fiche, proposez :**

    — **10 noms qui prennent *y*,**
    — **5 noms qui prennent *î*.**

Séance 64 - LE SON « AN » : *AN* OU *EN*... ?

□ **Test personnel** *(au brouillon)*

Orthographiez correctement le son « an » : appr...dre, rép...dre, susp...dre, v...ter (flatter), le t... (insecte), l'oblig...ce, ...prunter, l'...cre marine, la ress...bl...ce, am...de (fruit).

Corrigé

semblance, amande.

apprendre, répandre, suspendre, vanter, le taon, l'obligeance, emprunter, ancre, res-

► *Si vous avez commis* deux fautes ou plus *cette leçon vous est nécessaire.*

1 OBSERVEZ LES MOTS SUIVANTS

an : dans, pancarte, répandre, danse

am : chambre, rampe, crampe

en : prendre, lent, vent, mentir

em : embarquer, ressemblance, tremper

aon : faon, taon, paon

2 RÉFLÉCHISSEZ ET EXERCEZ-VOUS

① **Devant quelles consonnes le *n* de *an* et *en* se transforme-t-il en *m*?** (revoir : *fiche 140*).

② **Notez les mots de la famille de chacun des mots suivants :**

Exemple : *vent* ➞ venter, éventer, ventilateur, ventiler, paravent...

— danse, balance, penser, présent, mentir, grand

— *Conclusion :* le son « an » garde-t-il la même orthographe dans toute la famille?

③ **Remplacez les points par « endre » ou « andre » dans l'infinitif des verbes suivants :**

— v..., pr..., p..., ent..., déf..., t..., att..., se dét..., prét..., desc..., susp..., f..., appr..., surpr... .

— rép..., ép... .

④ Les mots homophones suivants (mêmes sons) se distinguent par l'ortho-graphe et le sens. Associez chacun d'eux dans une courte phrase avec un mot de la colonne *B* :

A	B
amande, amende - danse, dense - vanter, venter - temps, tant, taon - camp, quand - ancre, encre	pénalité, fruit - musique, poids - souffler, mentir - insecte, tellement, durée - lorsque, armée, - navire, écrire

⑤ **Notez le participe présent de chacun des verbes suivants :**

— offrir, savoir, prendre, fendre, résoudre, boire, négliger, naître, croître, croire, différer, finir, distraire, teindre, craindre,

Comment s'orthographie toujours le son « an » ?

⑥ **A partir des mots suivants formez avec le suffixe « ment » des noms correspondants :**

Exemple : *croître* ➞ *accroissement*

— châtier, rallier, remercier - amonceler, morceler - apaiser, désœuvré - enrichir, ennoblir, enregistrer.

⑦ **Remplacez les points par le son « an » convenablement orthographié :**

— la r...pe, la différ...ce, l'oblig...ce (voir *fiche 96*), la journée précéd...te, ...soleillé, le gér...t, la cré...ce, l'av...ce, la croy...ce, la consci...ce, la méfi...ce, la dép...se, la pénit...ce, la bal...ce, la cad...ce.

— ...bellir, ...barquer, ...prunter, ...graisser, ...traîner, ...mener, ...nuyer.

— le c...p, le f... (petit de la biche), le t... (insecte), le cr..., le p... de mur, l'ag...t.

3 BILAN RÉCAPITULATIF

FICHE 155	LE SON « AN »

Le son « **an** » peut s'écrire :

• *an* : pancarte, danse, balancer, avance...

   an devient **am** devant m, b, p : camp, chambre.

• *en* : agent, client, penser, descendre...

   en devient **em** devant m, b, p : ressemblance, tremper.

• *aon* dans quelques rares mots : le faon, le paon, la taon.

   Seul le dictionnaire peut indiquer l'orthographe exacte.

| LES VERBES TERMINÉS PAR « **ENDRE** »

- Les verbes terminés par le son « endre » s'écrivent **endre** comme **vendre.**
  Exemples : *apprendre, attendre, prendre, défendre...*
- *Deux exceptions* en **andre** : répandre, épandre.

Exercices d'application

— Séance 64 : exercices ② à ⑦, pages 217-218.

⑧ **Trouvez de mémoire :**
  — **10 noms qui comportent** *an*,
  — **10 noms qui comportent** *en*,
  — **10 verbes terminés par** *endre*.

Séance 65 - LE SON « IN » : *IN, AIN, EIN* OU *UN*... ?

☐ **Test personnel** *(au brouillon)*

Orthographiez correctement le son « in » : un br... de muguet, un homme br..., un ess... d'abeilles, un chréti..., p...dre, contr...dre, le déf...t, un homme ser..., ...poli, ...décis, un Rom..., c'est v... (inutile).

Corrigé

impoli, indécis, Romain, vain.

brin de muguet, homme brun, essaim, Chrétien, peindre, contraindre, défunt, serein,

➤ *Si vous avez commis* deux fautes ou plus *cette leçon vous est nécessaire.*

1 OBSERVEZ LES MOTS SUIVANTS ET PRONONCEZ-LES

in : raisin, invariable, matin, **im**poli
ain : grain, craindre, forain, fa**im**
ein : frein, peinture, serein, feindre
un : brun, emprunt, chacun, parf**um**
ien : chien, ancien, opticien, alsacien

2 RÉFLÉCHISSEZ ET EXERCEZ-VOUS

① **Ajoutez au brouillon quelques mots dans chacune des cinq séries précédentes.**

② **Placez le préfixe** *in* **devant les adjectifs suivants pour obtenir des mots de sens contraire.**

a) qualifiable, stable, tolérable, vertébré, valide, vraisemblable

b) poli, prévoyant, prudent, mortel, moral, battable, buvable

c) observable, apte, adapté, actif, opportun

Conclusions : **1)** Dans quelle série le *n* se transforme-t-il en *m* ? Pourquoi ? **2)** Dans quelle série n'avez-vous plus le *son* « *in* » ?

③ **Voici des termes homophones. Ils se distinguent par l'orthographe et par le sens. Faites apparaître leur différence de sens en associant chacun dans une courte phrase avec un mot de la colonne B :**

A	B
plinthe, plainte - sain, saint, sein - fin, faim, feint - éteint, étain - pin, pain, peint - brin, brun - crin, craint - tain, thym, teint - vin, vingt, vain - plein, plaint	blessé, mur - santé, poitrine, église - nourriture, tromperie, terme - métal, feu - couleur, aliment, arbre - cheveux, petite quantité - peur, poils - miroir, visage, plante - inutile, boisson, chiffre - pitié, rempli.

④ **Conjuguez au présent de l'indicatif et au passé simple les verbes :**

tenir, tendre, plaindre, venir

Notez les différentes orthographes du son « in » dans ces conjugaisons.

⑤ **Écrivez le son « in » dans ces deux séries de verbes :**

— *peindre*, f...dre, t...dre, c...dre (entourer), étr...dre, ét...dre, g...dre (gémir), att...dre, astr...dre,

— *craindre*, contr...dre, pl...dre.

Conclusion : formulez une petite règle sur la terminaison des verbes en « indre ».

⑥ **Pour savoir si un adjectif se termine par *in* ou *ain* il suffit souvent de le mettre au féminin.**

Exemples : *divin* ⟶ *divine* (on entend le son « *i* »)
vilain ⟶ *vilaine* (on entend le son « *ai* »)

— **Ajoutez ainsi la terminaison du masculin aux adjectifs suivants :**

en « in » : fél..., lorr..., bov..., mar..., urb..., s..., câl..., can..., rom..., chât..., for..., v..., sangu..., f... .

⑦ **Quels sont les mots de la même famille qui peuvent vous aider à trouver la terminaison des mots suivants ?**

Exemple : *parfum* ⟶ *parfumer* (on entend le *u* et le *m*)

essaim, instinct, distinct, emprunt, teint, saint, opportun, chacun, défunt.

⑧ *En* **précédé de *i* à la fin d'un mot se prononce *in* (ainsi que *examen*). Trouvez d'autres mots de même terminaison qui complètent la liste suivante :**

— égyptien, chrétien, alsacien, vénitien, martien...

⑨ **Remplacez les points par le son « in » convenablement orthographié :**

la c...ture, la contr...te, l'étr...te, le doy... (le *y* vaut deux *i*), le s...bole (attention ! deux difficultés), un nez aquil..., m...tenant, les r...s, l'exam..., l'enc...te, le l...ch (origine anglaise), opport..., l'empr...te, un empr...t, dist...guer, ...berbe (qui n'a pas de barbe), ...possible, ...térêt.

3 **BILAN RÉCAPITULATIF**

FICHE 157	LE SON « IN »

Le son **« in »** peut s'écrire de différentes façons, selon les mots :
- *in :* raisin, marin, interdit...
  Attention : thym.
  in devient **im** devant **m, b, p** : impossible, symbole.
- *ain :* grain, romain, maintenant...
  Attention : essaim, faim, daim.
- *ein :* frein, serein, peinture, teint.
- *un* (dans quelques mots) : un, chacun, brun, défunt, emprunt.
  Attention : parfum.
- *en* (après le **i** à la fin des mots) chien, opticien, chrétien, ancien.
  Attention : examen.

FICHE 158	LES VERBES EN « INDRE »

Les verbes en « indre » s'écrivent **eindre** comme **peindre**.
— Exemples : *teindre, éteindre, atteindre, feindre...*
— *Exceptions en **aindre** :* contraindre, plaindre.

Exercices d'application

— Séance 65 : exercices ④ à ⑨, pages 221-222.

Séance 66 - LE SON « GNE » ET LE SON « YE »

☐ **Test personnel** *(au brouillon)*

1) Orthographiez correctement le son « gne » : nous crai...ons, nous re...ons notre parole, nous ensei...ons, nous ma...ons cet outil, une poi...ée, un pa...er, le maqui...on, la commu...on, le compa...on, la réu...on.

2) Orthographiez correctement - *le son « euil »* : le cerf..., le chèvref... - *le son « ail »* : la ten..., le port... - *le son « eil »* : l'or..., l'appar... .

Corrigé

2) cerfeuil, chèvrefeuille ; tenaille, portail ; oreille, appareil.

1) craignons, renions, enseignons, manions, poignée, panier, maquignon, commu-nion, compagnon, réunion.

► *Si vous avez commis* deux fautes ou plus *cette leçon vous est nécessaire.*

► *Le son* « gne » : gn *ou* ni ?

1 OBSERVEZ LES MOTS SUIVANTS

ni : opinion, fanion - il maniait la truelle
gn : mignon, compagnon - il grognait

2 RÉFLÉCHISSEZ ET EXERCEZ-VOUS

① **Quel est le son qui se retrouve dans chacun des mots des deux séries. Comment est-il orthographié ?**

② **En utilisant le dictionnaire, remplacez les points par *gn* ou *ni* :**

— une arai...ée - un prison...ier - la poi...ée - le der...ier - un pa...ier - un homme casa...ier - un châtai...ier - un pru...ier - la di...ité.

— le si...al - une forêt doma...ale - la commu...ion - un maqui...on - un lor...on - la réu...ion - l'u...ion - l'oi...on.

— l'ensei...ement - un ensei...ant - un bifteck sai...ant.

223

③ **Complétez ces verbes en « gner » qui s'écrivent tantôt avec « gn », tantôt avec « ni ». Accordez-les.**

Louis XIV a ré... sur la France - Il n'a pas dai... me répondre - Il ne faut jamais re... sa parole - Nul ne peut dé... le droit de vote à un citoyen - Nous avons témoi... en sa faveur - Les candidats ont été dési... - Les maçons ont bien ma... la truelle - Nous allons soi... les bêtes - Ce chiffon est imprè... d'essence.

Relevez ensuite ces différents verbes à l'infinitif.

④ **Conjuguez au présent de l'indicatif et à l'imparfait :** nier, désigner, craindre, plaindre.

⑤ **Écrivez les verbes comme il convient :**

Vous (venir, imparfait) de sortir - Nous (prendre, imparfait) la fraîcheur du soir - Nous (craindre, présent) son refus - Ils (plaindre, présent de l'indicatif) les victimes - Nous (gagner, présent) notre vie - Vous (comprendre, imparfait) nos difficultés - Nous (tenir, imparfait) le coupable.

⑥ **Écrivez chacun des verbes suivants aux deux premières personnes du pluriel de l'imparfait :**

— manier, venir, traîner, faner, freiner, dîner,

— gagner, accompagner, soigner, baigner, désigner.

---

3 BILAN RÉCAPITULATIF

FICHE 159	LE SON « GNE »

TABLEAU A CONSULTER

Écrivez **gn**	Écrivez **ni**
— compagnon, oignon, lorgnon, mignon, maquignon, moignon...	— union, réunion, fanion, communion...
— poignée, poignet, empoigner (voir poing)...	— prunier, panier, denier, prisonnier, dernier...
— peigne, règne, châtaigne, châtaigner, araignée, enseigne, enseignement...	
— peigner, soigner, signer, règner, daigner, enseigner, gagner, grogner, accompagner, baigner, désigner, cogner, témoigner, saigner...	— nier, renier, dénier, manier, communier...

— *présent indicatif :* nous craignons (craindre), nous plaignons (plaindre), nous teignons (teindre), nous feignons (feindre), nous atteignons (atteindre), nous peignons (peindre)...	— *imparfait :* nous venions, nous tenions, nous prenions, nous comprenions, nous freinions, nous dînions...

Exercices d'application

— Séance 66 : exercices ② à ⑥, pages 223-224.

▶ *Le son* « ye » *:* y, ill, il... ?

1 OBSERVEZ LES MOTS SUIVANTS

ie : oublier, plier, crier, trier

ï : aïe ! païen, glaïeul, faïence, baïonnette

y : ayez du courage, myope, royal, nettoyer

ill : griller, papillon, paille, ferraille, oreille

il : travail, soleil, deuil, appareil

2 RÉFLÉCHISSEZ ET EXERCEZ-VOUS

⑦ **Complétez la première série** *ie* **par cinq ou six autres verbes en** *ier*. **Puis écrivez-les à la première personne du pluriel : du présent de l'indicatif, de l'imparfait.**

⑧ **Où est placé le tréma, dans la deuxième série ? Quelle lettre faut-il prononcer isolément ?** Revoir : *fiche 5*

⑨ **Conjuguez**

— **à l'impératif présent :** avoir du courage, payer comptant, nettoyer ses vêtements,

— **à l'imparfait :** appuyer sur l'accélérateur, tailler une branche, louer une voiture, accueillir des amis.

⑩ Notez une dizaine de verbes qui puissent compléter cette liste de verbes à l'infinitf en « yer » :

Appuyer, nettoyer, payer...

⑪ Complétez les noms suivants :

— **par** *ail* **ou** *aille* : le trav..., le vitr..., la f..., la mur..., le gouvern..., la bat..., un évent..., le dét..., la ten..., la m..., la trouv..., le port..., un attir..., la vol..., une ent... .

Quelles conclusions en tirez-vous ?

— **par** *eil* **ou** *eille* : un appar..., un rév..., une or..., la v..., la bout..., le sol..., le cons..., la merv..., un ort..., le somm..., la tr... .

Quelles conclusions en tirez-vous ?

— **par** *euil* **ou** *euille* : une f..., le cerf..., le faut..., le s..., le d..., le por-tef..., le chèvref... .

⑫ Écrivez le son « euil » dans les mots suivants :

— org..., org...leux, c...lir, acc..., rec..., éc... .

Conclusion : comment s'écrit le son « euil » après *g* et *c* ?

⑬ Remplacez les points par *aill* ou *ay* :

— la bat...e, la p...e, la c...e, b...er, être débr...é,

— bal...er, r...er (un objet), débr...er (moteur).

Dans les deux séries le son *aill* **et** *ay* **se prononcent-ils pareils ?**

---

3 **BILAN RÉCAPITULATIF**

FICHE 160	LE SON « EUIL »

- *Le son « euil » s'écrit en général* **e.u.i.l.**

  Exemples : *cerfeuil, feuille, portefeuille, seuil, fauteuil.*
- *Deux catégories d'exceptions :*
- **①** *après* **c** *et* **g** *le son « euil » s'écrit* **u.e.i.l.**

  Exemples : — *cueillir, accueillir, cueillette, recueil, écueil...*

  — *orgueil, orgueilleux...*
- **②** *le son « euil » s'écrit* **œ.i.l.** *dans tous les mots de la famille de* **œil.**

  Exemples : *un œil (des yeux); œillet, œillère...*

| **FICHE 161** | **LES NOMS TERMINÉS PAR AIL, EIL, EUIL** |

- *Les noms masculins*
  - — en **ail** se terminent comme **travail** ☐ A.I.L. ☐

  Exemples : *le rail, le portail.*
  - — en **eil** se terminent comme **appareil** ☐ E.I.L. ☐

  Exemples : *le soleil, le réveil.*
  - — en **euil** se terminent comme **seuil** ☐ E.U.I.L. ☐

  Exemples : *le deuil, le cerfeuil.*

  Exceptions : le portefeuille, le chèvrefeuille, le millefeuille.
- *Les noms féminins* prennent en général **L.L.E.**

  Exemples : *la faille, la tenaille, la paille, la bataille, l'oreille, l'oseille, la veille, la feuille.*

| **FICHE 162** | **LE SON « YE » PRÉCÉDÉ DE A** |

Le son **« ye »** précédé de **a** s'écrit :

— *aill (ou : ail) si l'on entend le a.*

  Exemples : *bataille, bailler, paille, saillant, que j'aille.*

— *ay si l'on entend ai.*

  Exemples : *ayez, balayez, rayez, débrayer, ayons, balayons...*

Exercices d'application

— Séance 66 : exercices ⑨ à ⑫ , pages 225-226.
— Séance 67 : exercices ⑨ et ⑩ , page 229.

Séance 67 - RÉVISION 11
LES SONS - VOYELLES

Rappels

— *le son « é »* : é, er, ez, ed, es...
► Revoir :
fiches 1 et *2* (les accents).
fiche 97 (chanté ou chanter).
fiche 149.
— *le son « è »* : è, ê, e sans accent
ai, ei
► Revoir : *fiche 150.*
— *le son « o »* : o, ô, au, eau...
► Revoir : *fiches 151 à 153.*

— *le son « i »* : i, î, y
► Revoir : *fiche 154.*
— *le son « an »* : an, en, am, em
► Revoir : *fiches 155* et *156.*
— *le son « in »* : in, ain, ein, un,
ien...
► Revoir : *fiches 157* et *158.*
— *le son « gn »* : gn, ni...
► Revoir : *fiche 159.*
— *le son « ye »* : y, ill, il
► Revoir : *fiches 160 à 162.*

EXERCICES

① **Placez l'*accent grave* ou l'*accent aigu* quand il est nécessaire :**

Il faut deterrer ces vegetaux avant l'ete - Nous nous sommes essoufles dans la montee - Ils ont dû interrompre leur enquete - Je vais vous raconter mon reve - Voici Jacques accompagne de son pere et de sa mere - J'espere avoir de vos nouvelles avant votre anniversaire - L'escalier du grenier a ete balaye - On ne voit guere l'interet d'un tel congres.

② **Remplacez les points.**

— **par *er, ère* ou *air(e)*** : l'hiv..., le mammif..., le conif..., le livret scol..., la cl...ri..., un bibliothéc..., un maître sév..., la cuill..., le m... de la ville, la m... (océan), la m... (maman).

— **par « è » orthographié comme il convient** : la r...ne d'Angleterre - la pl...ne du Forez - une p...re de chaussures - une sc...ne amusante - un octogén...re.

③ **Faites apparaître la différence entre :**

close et clause, roder et rôder, hôtel et autel.

④ **Mettez au pluriel chacun des noms suivants :**

le journal, le vitrail, le corail, le rail, le canal, le bail.

⑤ Remplacez les points par _i, î_ ou _y_ :

l'enc...clopéd...e - la ph...s...que - l'hu...tre - la g...mnast...que - le m...stère - le c...cl...ste - le c...près - l'h...g...ène - la ps...cholog...e - un homon...me - le m...racle.

⑥ Remplacez les points par _an_ (am), _en_ (em) :

le print...ps, gr...dir, susp...dre, la dép...se, la journée précéd...te, la croy...ce, ...mener, r...per, la ress...bl...ce, le c...p romain.

⑦ Remplacez les points par le son « in » correctement orthographié :

la pl...te du blessé, la pl...the au bas du mur, un tableau admirablement p...t, un homme br..., ét...dre le feu, cr...dre le pire, un caractère ...stable, serrer le fr..., aller chez l'optici... .

⑧ Conjuguez au présent de l'indicatif et à l'imparfait :

nier l'évidence, craindre l'orage, désigner le coupable.

⑨ Proposez : cinq noms terminés par « eil », cinq noms terminés par « eille ».

⑩ Remplacez les points par le son « euil » correctement orthographié :

Nous avons fait la c...lette des fraises - Cet homme est un org...leux - Il s'est rincé les yeux avec une ...lère - Voici un rec... de textes - Asseyez-vous sur ce faut... - Ce portef... est en cuir.

Séance 68 - LA LETTRE FINALE
QUI NE SE PRONONCE PAS (1)

▶ *Comment la trouver ?*

FICHE 163	LES LETTRES MUETTES A LA FIN DES MOTS

De nombreux mots sont terminés par des lettres qui ne se prononcent pas et qu'on peut oublier.

Exemples

e : *énergie, craie, musée, literie, dictée, athée, roue*
s : *corps, jamais, verglas, paradis, jus, discours*
x : *croix, houx, taux, faux, doux, roux (couleur)*
t : *rat, point, affront, lit, port, escargot, expert, dégât*
d : *rond, pied, rebord, désaccord, fond, nœud*
c : *jonc, tabac, croc, accroc, estomac* **p :** *sirop, trop, camp* **f :** *nerf, clef (ou : clé)*
b : *plomb* **l :** *outil* **g :** *sang, rang, poing, hareng, bourg* **ct :** *instinct, aspect, respect* **z :** *nez, rez-de-chaussée, chez* **ds :** *poids* **ts :** *le puits* **h :** *bismuth, luth (instrument de musique)*

FICHE 164	COMMENT TROUVER LA LETTRE FINALE D'UN NOM OU D'UN ADJECTIF ?

- Pour trouver la lettre finale muette d'un nom ou d'un adjectif, *il suffit souvent* :

  — *soit de le **mettre au féminin*** (la consonne finale s'entend).

  Exemples : *bas (basse), fort (forte), ouvert (ouverte), marchand (marchande).*

  — *soit de **chercher un mot de la même famille.***

  Exemples : *plomb (plombier), lit (literie), parfum (parfumer), instinct (instinctif).*

- Mais ceci *n'est pas toujours valable* et peut provoquer des fautes.

ami (amitié)	favori (favorite)	caoutchouc (caoutchouté)
dépôt (déposer)	absous (absoute)	numéro (numéroter)
clou (clouter)	dissous (dissoute)	tabac (tabatière)
bijou (bijoutier)	jus (juteux)	

① Notez la lettre finale muette au masculin et le féminin des adjectifs et des participes passés suivants :

Exemple : *ouvert* (ouverte)

a) ouver..., exqui..., indéci..., déser..., défun..., admi..., clo..., érudi..., instrui..., cui..., sournoi..., gourman..., incompri..., gri..., blan..., lon..., gran... .

b) jalou..., joyeu..., heureu..., rou..., dou... .

Quelles remarques faites-vous sur la série *b*.

② Trouvez les lettres finales des mots suivants en proposant des mots de la même famille :

Exemple : *magistrat* (magistrature)

le ran..., le fraca..., le caho... de la voiture, le tapi..., un arrê..., l'instin..., le poin... (main), le dra..., l'écla..., le candida..., le paradi..., le vergla..., l'exper..., le bor..., le ron..., le cro..., le siro..., le bour..., le respe..., le ra..., un affron..., le san..., le plom..., l'accro... .

▶ *Tableau à consulter :*
le e muet à la fin de certains mots

Voici une série de fiches *à consulter* selon les besoins :

Elles ne formulent pas des règles mais des simples *remarques* qui peuvent constituer pour vous des *points de repères orthographiques* pour apprendre à écrire correctement des centaines de mots usuels.

Il ne s'agit pas de les apprendre mais de vous y reporter souvent pour vous habituer à orthographier le vocabulaire courant.

1. Beaucoup de **noms féminins** s'écrivent avec un **e** muet à la fin.

FICHE 165	NOMS FÉMININS TERMINÉS PAR LE SON « È »

- Ces noms s'écrivent **A.I.E.**
   Exemples : *la haie, la craie, la monnaie, la plaie.*
   Sauf : la forêt, la paix.

FICHE 166	NOMS FÉMININS TERMINÉS PAR LE SON « É »

- Ces noms s'écrivent **É.E.**

    Exemples : *l'équipée, la denrée, la chaussée, la saignée.*
    Sauf : la clé (ou : clef), l'acné

FICHE 167	NOMS FÉMININS TERMINÉS PAR **U**

- La plupart s'écrivent **U.E.**

    Exemples : *la vue, l'avenue, la laitue, l'étendue.*
    Sauf : la bru, la glu, la tribu, la vertu.

FICHE 168	NOMS FÉMININS TERMINÉS PAR **UR**

- Ces noms s'écrivent tous **U.R.E.**

    Exemples : *la nature, la voiture, la cure.*

FICHE 169	NOMS FÉMININS TERMINÉS PAR **UL**

- Ces noms s'écrivent **U.L.E.**

    Exemples : *la virgule, la majuscule, la tubercule.*
    Sauf : la bulle.

FICHE 170	NOMS FÉMININS TERMINÉS PAR **I**

- La plupart s'écrivent **I.E.**

    Exemples : *la pharmacie, la pluie, l'énergie, l'éclaircie.*
    Sauf : la brebis, la souris, la fourmi, la nuit, la perdrix.

FICHE 171 | NOMS FÉMININS TERMINÉS PAR **OI**

- La plupart s'écrivent **O.I.E.**

  Exemples : *la soie, la voie* (route)*, la joie, la proie, l'oie...*
- Ainsi que le nom *masculin* : le foie.

  Sauf :
  - la loi, la foi, la paroi.
  - la croix, une fois, la noix, la voix (parole).

FICHE 172 | NOMS FÉMININS TERMINÉS PAR **OIR**

- Ces noms s'écrivent **O.I.R.E.**

  Exemples : *la poire, la mâchoire, la mangeoire.*

FICHE 173 | NOMS FÉMININS TERMINÉS PAR **OU**

- Ces noms s'écrivent **O.U.E.**

  Exemples : *la joue, la moue, la boue, la houe, la roue.*

  Sauf : la toux.

2. Certains **noms féminins** s'écrivent sans **e** à la fin.

FICHE 174 | NOMS FÉMININS TERMINÉS PAR **EUR**

- Ces noms s'écrivent **E.U.R.**

  Exemples : *la fleur, la sœur, la valeur.*

  Sauf : l'heure, la demeure.

FICHE 175 | NOMS FÉMININS TERMINÉS PAR **TIÉ**

- Ces noms s'écrivent tous **T.I.É.**

  Exemples : *la moitié, la pitié, l'amitié.*

| FICHE 176 | NOMS FÉMININS TERMINÉS PAR **TÉ** |

- Ces noms s'écrivent **T.É.**

   Exemples : *la liberté, la santé, la charité, la bonté, l'extrémité.*
   Sauf :
   (1) les noms qui expriment une contenance : la brouettée, la fourchetée...
   (2) les noms usuels suivants : la pâtée, la portée, la montée, la jetée, la dictée.

3. Certains **noms masculins** s'écrivent avec un **e** final.

| FICHE 177 | NOMS MASCULINS TERMINÉS PAR **É** |

- Certains s'écrivent **É.E.**

   Exemples : *le lycée, le musée, le scarabée, le pygmée, le mausolée, le trophée.*

| FICHE 178 | NOMS MASCULINS TERMINÉS PAR **I** |

- Certains s'écrivent **I.E**

   Exemples : *le génie, l'incendie, le messie, le sosie, l'amphibie.*

| FICHE 179 | NOMS MASCULINS TERMINÉS PAR **OIR** |

- Beaucoup s'écrivent **O.I.R.E**

   Exemples : *un auditoire, un interrogatoire, un laboratoire, un observatoire, un territoire, un réfectoire, un réquisitoire, un ivoire, un répertoire, un accessoire.*
   Mais on écrit : un espoir, le trottoir, un soir, le devoir, le pouvoir, le savoir.

| FICHE 180 | NOMS MASCULINS TERMINÉS PAR **IL** |

- Certains s'écrivent **I.L.E**

   Exemples : *un mobile, un textile, un volatile, un ustensile...*
   Mais on écrit : le nombril, le fil, le cil.

FICHE 181	NOMS MASCULINS TERMINÉS PAR **UR**

- La plupart s'écrivent **U.R.E**

    Exemples : *le carbure, le murmure.*

    Sauf : l'azur, le mur, le futur, le fémur.

FICHE 182	NOMS MASCULINS TERMINÉS PAR **UL**

- La plupart s'écrivent **U.L.E**

    Exemples : *le globule, le vestibule, le tentacule, un émule.*

    Sauf : le calcul, le cumul, le consul, le recul.

4. Adjectifs qualificatifs au *masculin*.

FICHE 183	ADJECTIFS TERMINÉS PAR **OIR**

- Ces adjectifs s'écrivent **O.I.R.E**

    Exemples : *méritoire, provisoire, notoire, transitoire, giratoire...*

    Sauf : noir.

FICHE 184	ADJECTIFS TERMINÉS PAR **IL**

- La plupart s'écrivent **I.L.E**

    Exemples : *utile, habile, agile, fébrile, futile, facile...*

    Sauf :

(1) tranquille (ll)

(2) civil, puéril, subtil, vil, viril, volatil.

FICHE 185	ADJECTIFS TERMINÉS PAR **IQUE**

- Ces adjectifs s'écrivent **I.Q.U.E**

    Exemples : *magnifique, pacifique, électrique, pratique.*

    Sauf : public, (féminin : publique).

| ADJECTIFS TERMINÉS PAR **AL**

- La plupart s'écrivent **A.L**

    Exemples : *rural, postal, frontal, brutal, amical, cordial, normal.*
    Sauf : mâle, pâle, ovale, sale.

EXERCICES

③ **Mettez ou non un *e* à la fin des mots suivants :**

la monnai... - la clé... - la chaussé... - la vertu... - la tribu... - l'étendu... - la revu... - la natur... - la majuscul... - la pilul... - la fleur... - l'heur... - la pitié... - la santé... - la liberté... - la jeté... - la monté... - la pelleté... - l'extré-mité... - la proi... - la loi... - la paroi... - la joi... .

④ **Mettez ou non un *e* à la fin des mots suivants :**

le lycé... - le musé... - le passé... - le trophé... - l'incendi... - le sosi... - le parti... - la parti... - le géni... - le pli... - un auditoir... - un espoir... - le savoir... - le trottoir... - le territoir... - le laboratoir... - le répertoir... - le devoir... - le murmur... - l'azur... - le futur... - un textil... - un fil... - un ustensil... - un cil... - le vestibul... - le calcul... - le cumul... - le recul... .

⑤ **Mettez la terminaison qui convient :**

— *ique, ic :* une vue magnifi... - l'enseignement publi... - des moyens prat...s - une installation électr...

— *al, ale, âle :* un facteur rur..., un entretien amic..., un comporte-ment brut..., un oiseau m..., un visage p..., un événement norm...

— *ile, il, ille :* un homme tranqu..., un produit volat..., un artisan hab..., un travail fébr..., un sportif vir..., un raisonnement subt...

— *oie, oi, oix, ois :* la cr..., la v... (parole), la v... (chemin), la l..., une f... par jour, la j...

— *ule, ulle :* la b..., la virg..., la tuberc..., le t...

Séance 69 - LA LETTRE FINALE QUI NE SE PRONONCE PAS (2) : *S* ET *X*

FICHE 187	MOTS TERMINÉS PAR **S**

Beaucoup de mots se terminent par un **s** muet qui ne marque pas le pluriel :

- *certains mots invariables :* mais, jamais, toujours, plusieurs, quelquefois, parfois, auprès, près, très, après, sous, dessous, dessus, vers, envers, à travers, longtemps, volontiers, certes...

- *tous les noms masculins en **cours** :* un cours, un discours, un secours, un parcours, un recours, un concours.

- *un grand nombre de noms usuels :*

en *is* : brebis, paradis...
en *as* : cabas, coutelas, lilas...
en *ais* : palais, relais, marais...
en *ès* : décès, congrès, abcès, progrès, cyprès...

en *ds* : le remords, le poids, le fonds de commerce...
en *ts* : le puits, un mets...
divers : le pouls, le legs, le temps, le pois (légume), le remous, le bois, une fois, le héros...

- *un certain nombre d'adjectifs qualificatifs :*

en *us* : confus, reclus, inclus, perclus, intrus...
en *as* : bas, ras...

en *is* : exquis, précis, indécis...
en *os* : clos, dispos...
etc.

FICHE 188	MOTS TERMINÉS PAR **X**

Un certain nombre de mots se terminent par un **x** muet qui ne marque pas le pluriel :

- *Certains noms :* le crucifix, le flux, le reflux, le faix (fardeau), le taux, le houx, la perdrix, la croix, la poix (colle), la noix, la faux, la toux...

- *Tous les adjectifs en **eu*** (au singulier).

Exemples : *heureux, sérieux, peureux, pluvieux, furieux, juteux...*

Sauf : bleu, hébreu.

- *Quelques autres adjectifs :* doux, roux, faux...

EXERCICES

(1) Ajoutez un *s* à la fin des mots où il est nécessaire :

— le maqui..., le croqui..., le radi..., le camboui..., le paradi..., le tri..., le cri..., le taudi...

— le lila..., le vergla..., le fatra..., l'embarra..., le traca..., le fraca..., déjà..., le bra..., le réséda..., le pa..., le gla..., l'opéra..., le ta...

— le harnai..., le relai..., le geai..., le marai...

— le leg..., le puit..., un abcè..., un décè..., le fond... de la boîte, le fond... de commerce, le poid..., le roi..., le héro..., le zéro..., le piano...

(2) Ajoutez la (ou les) consonne finale muette quand il en faut une :

— le foi..., la voi... (route), la voi... (parole), la soi..., la noi..., la croi..., le doi..., la poi... (colle), le poi... (pesée), le poi... (légume)

— la tou..., la rou..., la mou..., le hou..., le fou..., le sou..., le genou..., le pou... (insecte), le pou... (cœur), le remou...

— heureu..., bleu..., pluvieu..., deu..., le pneu..., juteu..., le creu..., vieu...

— le crucifi..., l'incendi..., le pri..., le cri...

— le ju..., le flu..., le reflu..., la vertu..., la ru..., la nu..., l'avenu...

Séance 70 - LES LETTRES
QUI NE SE PRONONCENT PAS :
— AU DÉBUT DES MOTS
— DANS LE CORPS DES MOTS

▶ *Au début des mots : la lettre* h

FICHE 189	H MUET ET H ASPIRÉ

La lettre *h* ne correspond à aucun son.

	h muet		*h aspiré*
Exemple :	*l'héritage* (élision) *les héritages* (liaison) *un héritage* (liaison)	Exemple :	*le haricot* (pas d'élision) *les/haricots* (pas de liaison) *un/haricot* (pas de liaison)

• *Quelques mots commençant par un h muet*

l'habileté	- s'habituer
l'habillement	- il l'héberge
l'habit	- s'harmoniser
l'habitation	- s'honorer
l'habitude	- l'heureux sort
l'hallucination	- l'honnête femme
l'haltère	- l'honorable citoyen
l'harmonie	- l'horrible dénouement
l'herbe	- l'humble vérité
l'heure	
l'homme	
l'histoire	
l'horizon	
l'huile	

• *Quelques mots commençant par un h aspiré*

la hache	- se haïr
la hachure	- il le hachait
la haie	- se hasarder
la haine	- se hérisser
le hall (prononcer : ol)	- se heurter
la halle	- se hisser
la halte	- le hideux spectacle
le hameau	- le haut-parleur
le hangar	- le haut fourneau
le handicap	
le hasard	
la hâte	

EXERCICES

① **Conjuguez au présent de l'indicatif :** s'habituer, se hisser.

Quelles différences relevez-vous ?

② **Comme dans l'exemple donné, relevez tous les mots de la même famille que chacun des mots suivants :**

Exemple : *habitude* → *habituer, habituel, inhabituel, déshabituer...*

— honneur, homme, habiter, habit, honnête, haut.

Le *h* figure-t-il dans tous les mots de la famille ?

③ Quelle différence faites-vous entre : la halle, le hall ?

④ Placez *le, la* ou *l'* devant chacun des noms suivants :

hiver, hibou, hiérarchie, hindou, hold-up, herse, héros, hémisphère, hésitation, haltère, homicide, hygiène, hernie, hérisson, handicapé, harpe, hachoir, haie, haleine.

▶ *Dans le corps des mots : la lettre* h

FICHE 190	LA LETTRE H DANS LE CORPS DES MOTS

La lettre h muette apparaît souvent dans les mots usuels :

- *Entre deux voyelles* qu'elle sépare dans la prononciation.

Exemples : tra*h*ir (comparez avec : tra*i*re)

cah*u*te (comparez avec : ca*u*chemar)

brouhaha, compréhensif, cohérent, cohésion, cahot, véhicule, bohémien, véhément, souhait...

- *Après le* **x** :

Écrivez avec h	*Mais sans h*
exhaler, exhalaison	existence
exhiber, exhibition	exubérant
exhorter, exhortation	exalter, exaltation
exhumer, exhumation...	exil, exiler, etc.

- *Après le* **r** :

Exemples : *rhinocéros, rhum, rhume, rhumatisme...*

- *Après le* **t** (très nombreux **th**)

Exemples :

théâtre	*sympathie*	*bibliothèque*
thème	*antipathie*	*discothèque*
thèse	*athlète*	*philanthrope*
théorie	*hypothèse*	*misanthrope*
thym	*synthèse*	*anthropophage*
thé	*labyrinthe*	*mathématique*
théorème	*méthode*	
thermal	*panthère*	
thermique	*enthousiasme*	

- *Après d'autres lettres* :

Exemples : *adhérer, adhérent, adhésion, inhérent, silhouette...*

⑤ Écrivez au brouillon les mots suivants en mettant ou non un *h* à la place des points :

— ex...ubérance, ex...altation, ex...ibition, ex...alaison, ex...istence, ex...ortation, ex...actitude

— r...ume, r...ugueux, enr...umé, at...lète, ent...ousiasme, ent...ourage, pant...ère, t...ermostat, bibliot...èque, les t...ermes de la phrase, des t...èmes de lecture, mét...ode, mat...ématique.

⑥ Trouvez quelques noms :

— où se retrouve le radical « anthrope » qui signifie *homme*

— où se retrouve le radical « thèque » qui signifie *collection*

— où se retrouve le radical « thèse »

▶ *Dans le corps des mots : autres lettres muettes*

FICHE 191	LE E DE CERTAINS NOMS EN -**EMENT**

• Les noms en -**ment** qui correspondent à un verbe en -**ier**, -**yer**, -**ouer**, -**uer** se terminent par **e ment** et le **e** ne se prononce pas.

Exemples

remercier → remerciement		balbutier → balbutiement	
dénuer → dénuement		flamboyer → flamboiement	
aboyer → aboiement		bégayer → bégaiement	
déblayer → déblaiement		éternuer → éternuement	
se dévouer → dévouement		déblayer → déblaiement	

• *Exceptions :* Pas de *e* à : châtiment (verbe châtier), agrément (verbe agréer).

FICHE 192	LE **P**, LE **T** ET LE **M** QUI NE SE PRONONCENT PAS

• La lettre **p** ne se prononce pas dans le corps de certains mots.

Exemples : — *compte, compter, comptable, mécompte, acompte, décompte, comptoir, escompte*
— *sculpteur, sculpter, sculpture, sept*
— *exempt, exempte*
— *baptême, baptiser, baptismal.*

- La lettre **m** ne se prononce pas dans le corps de certains mots.

 Exemples : — *automne*
  — *condamner, condamnation, condamnable*
  — *damner, damnation*

‣ La lettre **t** ne se prononce pas dans :

 isthme, asthme, Montpellier, Montluçon...

EXERCICES

⑦ Formez les noms en *ment* correspondants aux verbes suivants :

enrouer, remuer, chatoyer, zézayer, échouer, éternuer, châtier, renier, payer, bégayer, aboyer, apitoyer, remanier.

⑧ Ajoutez ou non un *e* muet aux mots suivants en les écrivant au brouillon :

le bat...au, le chap...au, le drap...au, les journ...aux, les mét...aux, la soi...rie, la voi...rie, la soi...rée, la gai...té, la plaidoi...rie, le vil...brequin, ass...oir.

⑨ Complétez les mots suivants par la (ou les) lettre(s) muette(s) qui manque(nt) :

— t...ème, mat...ématique, sil...ouette, ant...ropophage, ent...ousiasme, discot...èque, r...ume.

— scul...teur, se...t, ba...tême, com...table.

— auto...ne, conda...nation.

— is..me, as...me.

Séance 71 - RÉVISION 12
LES LETTRES MUETTES

① **Revoir :** *fiches 163 et 164.* **Ajoutez une lettre muette à la fin du mot quand elle est nécessaire :**

le ron..., le gon... de la porte, un accro.., un escro..., le san..., le re...-de-chaussé..., un outi..., le plom..., le taba..., le vergla..., le rebor..., un discour..., le caoutchou..., le bijou...

② **Revoir :** *fiches 165 à 173 :*

1) trouvez sept noms terminés par *aie*,

2) trouvez sept noms terminés par *ue*,

3) trouvez cinq noms terminés par *oie*,

4) trouvez sept noms terminés par *oue*.

③ **Revoir :** *fiches 174 à 182.* **Remplacez les points par :**

— *eur* ou *eure* : la fl..., l'h..., la val..., la dem...

— *té* ou *tée* : la liber..., la bon..., la dic..., la san..., la brouet..., la pelle..., l'extrémi...

— *é* ou *ée* : le lyc..., le mus..., la chauss..., la cl..., la denr..., la port..., la jet..., le scarab...

— *oir* ou *oire* : une baign..., le trott..., l'observat..., le laborat..., un réfect..., un access..., un interrogat..., l'esp...

④ **Revoir :** *fiches 183 à 186.* **Ajoutez un** *e* **muet quand il le faut :**

— un visage pâl..., un wagon postal..., un enfant mâl..., un accueil cordial..., le facteur rural..., du linge sal...

— un travail util..., un mot subtil..., un produit volatil..., un ouvrier habil..., agil... comme un singe.

Séance 72 - ITINÉRAIRES INDIVIDUELS POUR UNE RÉVISION D'ENSEMBLE

Voici quelques itinéraires destinés à ceux qui souhaitent faire le point de leurs difficultés ou rafraîchir leur orthographe sans reprendre un parcours systématique de chaque séance.

Itinéraire 1 | Les signes orthographiques |

• *Révisez* les fiches 1 à 12 en vous reportant aux pages correspondantes indiquées à la table récapitulative au début de l'ouvrage.

• *Pratiquez*, page 28, *séance 5*, les exercices 3, 4, 6, 8.

Itinéraire 2 | Les confusions homonymiques |

• *Révisez* les fiches 13 à 46. Interrogez-vous : quelles sont celles qui correspondent à une difficulté que vous n'avez pas entièrement surmontée ? Pour chacune de celles-là, entraînez-vous à quelques-uns des exercices proposés dans la leçon correspondante.

• *Pratiquez*, en particulier, les exercices suivants :

— page 44, *séance 9 :* exercices 5, 6, 8, 13, 15.

— page 63, *séance 16 :* exercices 1, 3, 5, 11, 13.

Itinéraire 3 | Le féminin et le pluriel des noms |

• *Révisez* les fiches 47 à 58.

• *Pratiquez*, page 77, *séance 20*, les exercices 1, 3, 4, 5.

Itinéraire 4 | Le féminin et le pluriel des adjectifs |

• *Révisez* les fiches 59 à 78. A chaque difficulté rencontrée, entraînez-vous à quelques-uns des exercices proposés dans la séance.

• *Pratiquez*, en particulier, page 93, *séance 27*, les exercices 1 à 5.

Itinéraire 5 | Le verbe et les participes passés |

• *Révisez* les fiches 79 à 108. A chaque difficulté, entraînez-vous à la surmonter en pratiquant quelques-uns des exercices correspondants.

• *Pratiquez*, en particulier, les exercices suivants :

— page 112, *séance 34 :* exercices 2, 3, 4, 7, 9.

— page 128, *séance 40 :* exercices 3, 5, 6, 8.

Itinéraire 6 | La conjugaison |

- *Revoyez* tous les tableaux de conjugaison des verbes-types pour chacun des temps (page 134 à page 157) et exercez-vous à conjuguer chacun de ces verbes de mémoire.
- *Révisez* les fiches 109 à 127.
- *Pratiquez*, page 161, *séance 50*, les exercices 12, 13, 14.

Itinéraire 7 | Les sons - consonnes |

- *Révisez* les fiches 128 à 141 et exercez-vous, sur le cahier de brouillon, à surmonter chaque difficulté.
- *Pratiquez*, page 188, *séance 57*, les exercices 1, 4, 6, 10.

Itinéraire 8 | Les consonnes doubles |

- *Révisez* les fiches 142 à 148 et les tableaux qui les suivent.
- *Pratiquez*, page 206, *séance 61*, les exercices 2, 3, 6.

Itinéraire 9 | Les sons - voyelles |

- *Révisez* les fiches 149 à 162 en vous exerçant à surmonter chacune des difficultés rencontrées.
- *Pratiquez*, en particulier, page 228, *séance 67*, les exercices 1, 2, 5, 7, 10.

Itinéraire 10 | Les lettres muettes |

- *Révisez* les fiches 163 à 192. Exercez-vous à noter au brouillon, plusieurs fois, parmi tous les mots proposés, chacun de ceux qui vous paraissent présenter une difficulté.
- *Pratiquez*, page 243, *séance 71*, les exercices 1, 2, 3, 4.

Itinéraire 11 | Jeux et recherches en liberté |

① **Les noms éclatés :** formez le maximum de noms en combinant librement les éléments de la série *A* et les éléments de la série *B*.

Exemples : *per/cussion*
            dis/cussion

A : per, ex, dé, trans, dis, in (ou im), re (ou ré), pré.

B : mission, fusion, traction, pulsion, position, pression, tension, cussion, duction, clusion.

② **Les verbes éclatés** : formez le maximum de verbes en combinant librement les éléments de la série *A* et les éléments de la série *B*.

Exemples : *ad/mirer*
ad/opter

A : ad, per, con (ou com), ex, dé, dis, en (ou em), re, pré, trans.

B : tendre, porter, tirer, mettre, joindre, centrer, dire, poser, forer, opter, juger, jurer, venir, clore, coder, qualifier, presser, mêler, traire, mirer.

③ **La chaîne sans fin.** En partant d'un mot donné, comme dans l'exemple, combien pourrez-vous former tour à tour de mots différents en changeant *une seule lettre* chaque fois ?

Exemple : *singe :* songe, rongé, congé, conté, coûté, voûte, soute, route, doute, douce, pouce, poule, moule, coulé, roulé...

• *Nota :* vous disposez librement de tous les accents qui apparaissent ou disparaissent à votre gré.

• *Mots de départ proposés :* crime, mite, courge, boule, fête, livre, page, toit.

④ **Le pont.** Il s'agit pour vous d'aller d'un mot de départ à un mot d'arrivée par le minimum de mots intermédiaires. Comme dans le jeu précédent vous n'avez le droit, chaque fois, de ne changer qu'une lettre pour former un mot.

• Exemple : pour aller de *boule* à *voûte* (boule, coulé, coûté, voûte)

• Essayez d'aller aussi : de *poule* à *folle* - de *Rome* à *lave* - de *mode* à *côté* - de *ronce* à *soudé*.

⑤ **Les lettres mêlées.** Un mot vous étant proposé, il s'agit de former avec des lettres de ce mot et dans n'importe quel ordre le plus grand nombre de mots possibles. A partir de 10 mots formés, c'est bien !

Exemple : *musique :*   me, si, usé, muse, que, su (participe passé), ému, se, mi (note de musique), qui...

Continuez ainsi chacune de ces séries (tous les accents sont à votre disposition)

— *automobile :* lot, le, atome...

— *campement :* cap, et, pâte...

— *capucine :* puce, cep, ni...

— *compte rendu :* cru, duc, doré...

(6) Les lettres mêlées (suite). Comme dans le jeu précédent, continuez chacune des séries données :

- *dictionnaire :* air, recto, note...
- *villageois :* sage, visage, se...
- *chèvrefeuille :* le, fil, fille...
- *encyclopédie :* pôle, col...
- *bibliothèque :* quel, île, toile...
- *professionnel :* rose, frêle, si...
- *délibération :* délit, rat, date...
- *bienfaisance :* enfance, fiancé...

TABLEAUX DE CONJUGAISON

AVOIR : **Participe passé :** *eu.* **Participe présent :** *ayant.*

Présent de l'indicatif : *j'ai, tu as, il a, nous avons, vous avez, ils ont.*

Imparfait : *j'avais, tu avais, il avait, nous avions, vous aviez, ils avaient.*

Futur simple : *j'aurai, tu auras, il aura, nous aurons, vous aurez, ils auront.*

Futur antérieur : *j'aurai eu, tu auras eu, il aura eu, nous aurons eu, vous aurez eu, ils auront eu.*

Passé composé : *j'ai eu, tu as eu, il a eu, nous avons eu, vous avez eu, ils ont eu.*

Plus-que-parfait : *j'avais eu, tu avais eu, il avait eu, nous avions eu, vous aviez eu, ils avaient eu.*

Passé simple : *j'eus, tu eus, il eut, nous eûmes, vous eûtes, ils eurent.*

Impératif présent : *aie, ayons, ayez.*

Présent du conditionnel : *j'aurais, tu aurais, il aurait, nous aurions, vous auriez, ils auraient.*

Passé du conditionnel : *j'aurais eu, tu aurais eu, il aurait eu, nous aurions eu, vous auriez eu, ils auraient eu.*

Présent du subjonctif : *que j'aie, que tu aies, qu'il ait, que nous ayons, que vous ayez, qu'ils aient.*

ÊTRE : **Participe passé :** *été.* **Participe présent :** *étant.*

Présent de l'indicatif : *je suis, tu es, il est, nous sommes, vous êtes, ils sont.*

Imparfait : *j'étais, tu étais, il était, nous étions, vous étiez, ils étaient.*

Futur simple : *je serai, tu seras, il sera, nous serons, vous serez, ils seront.*

Futur antérieur : *j'aurai été, tu auras été, il aura été, nous aurons été, vous aurez été, ils auront été*

Passé composé : *j'ai été, tu as été, il a été, nous avons été, vous avez été, ils ont été.*

Plus-que-parfait : *j'avais été, tu avais été, il avait été, nous avions été, vous aviez été, ils avaient été.*

Passé simple : *je fus, tu fus, il fut, nous fûmes, vous fûtes, ils furent.*

Impératif présent : *sois, soyons, soyez.*

Présent du conditionnel : *je serais, tu serais, il serait, nous serions, vous seriez, ils seraient.*

Passé du conditionnel : *j'aurais été, tu aurais été, il aurait été, nous aurions été, vous auriez été, ils auraient été*

Présent du subjonctif : *que je sois, que tu sois, qu'il soit, que nous soyons, que vous soyez, qu'ils soient.*

ALLER : Participe passé : *allé.*   Participe présent : *allant.*

Présent de l'indicatif : *je vais, tu vas, il va, nous allons, vous allez, ils vont.*

Imparfait : *j'allais, tu allais, il allait, nous allions, vous alliez, ils allaient.*

Futur simple : *j'irai, tu iras, il ira, nous irons, vous irez, ils iront.*

Futur antérieur : *je serai allé, tu seras allé, il sera allé, nous serons allés, vous serez allés, ils seront allés.*

Passé composé : *je suis allé, tu es allé, il est allé, nous sommes allés, vous êtes allés, ils sont allés.*

Plus-que-parfait : *j'étais allé, tu étais allé, il était allé, nous étions allés, vous étiez allés, ils étaient allés.*

Passé simple : *j'allai, tu allas, il alla, nous allâmes, vous allâtes, ils allèrent.*

Impératif présent : *vas, allons, allez.*

Présent du conditionnel : *j'irais, tu irais, il irait, nous irions, vous iriez, ils iraient.*

Passé du conditionnel : *je serais allé, tu serais allé, il serait allé, nous serions allés, nous seriez allés, ils seraient allés.*

Présent du subjonctif : *que j'aille, que tu ailles, qu'il aille, que nous allions, que vous alliez, qu'ils aillent.*

FAIRE : Participe passé : *fait.*   Participe présent : *faisant.*

Présent de l'indicatif : *je fais, tu fais, il fait, nous faisons, vous faites, ils font.*

Imparfait : *je faisais, tu faisais, il faisait, nous faisions, vous faisiez, ils faisaient.*

Futur simple : *je ferai, tu feras, il fera, nous ferons, vous ferez, ils feront.*

Futur antérieur : *j'aurai fait, tu auras fait, il aura fait, nous aurons fait, vous aurez fait, ils auront fait.*

Passé composé : *j'ai fait, tu as fait, il a fait, nous avons fait, vous avez fait, ils ont fait.*

Plus-que-parfait : *j'avais fait, tu avais fait, il avait fait, nous avions fait, vous aviez fait, ils avaient fait.*

Passé simple : *je fis, tu fis, il fit, nous fîmes, vous fîtes, ils firent.*

Impératif présent : *fais, faisons, faites.*

Présent du conditionnel : *je ferais, tu ferais, il ferait, nous ferions, vous feriez, ils feraient.*

Passé du conditionnel : *j'aurais fait, tu aurais fait, il aurait fait,
nous aurions fait, vous auriez fait, ils auraient fait.*

Présent du subjonctif : *que je fasse, que tu fasses, qu'il fasse,
que nous fassions, que vous fassiez, qu'ils fassent.*

CHANTER : Participe passé : *chanté*. Participe présent : *chantant*.

Présent de l'indicatif : *je chante, tu chantes, il chante, nous chantons,
vous chantez, ils chantent.*

Imparfait : *je chantais, tu chantais, il chantait, nous chantions,
vous chantiez, ils chantaient.*

Futur simple : *je chanterai, tu chanteras, il chantera, nous chanterons,
vous chanterez, ils chanteront.*

Futur antérieur : *j'aurai chanté, tu auras chanté, il aura chanté,
nous aurons chanté, vous aurez chanté, ils auront chanté.*

Passé composé : *j'ai chanté, tu as chanté, il a chanté, nous avons chanté,
vous avez chanté, ils ont chanté.*

Plus-que-parfait : *j'avais chanté, tu avais chanté, il avait chanté,
nous avions chanté, vous aviez chanté, ils avaient chanté.*

Passé simple : *je chantai, tu chantas, il chanta, nous chantâmes,
vous chantâtes, ils chantèrent.*

Impératif présent : *chante, chantons, chantez.*

Présent du conditionnel : *je chanterais, tu chanterais, il chanterait,
nous chanterions, vous chanteriez, ils chanteraient.*

Passé du conditionnel : *j'aurais chanté, tu aurais chanté, il aurait chanté,
nous aurions chanté, vous auriez chanté, ils auraient chanté.*

Présent du subjonctif : *que je chante, que tu chantes, qu'il chante,
que nous chantions, que vous chantiez, qu'ils chantent.*

FINIR : Participe passé : *fini*. Participe présent : *finissant*.

Présent de l'indicatif : *je finis, tu finis, il finit, nous finissons, vous finissez,
ils finissent.*

Imparfait : *je finissais, tu finissais, il finissait, nous finissions, vous finissiez,
ils finissaient.*

Futur simple : *je finirai, tu finiras, il finira, nous finirons, vous finirez,
ils finiront.*

Futur antérieur : *j'aurai fini, tu auras fini, il aura fini, nous aurons fini,
vous aurez fini, ils auront fini.*

Passé composé : *j'ai fini, tu as fini, il a fini, nous avons fini, vous avez fini,
ils ont fini.*

Plus-que-parfait : *j'avais fini, tu avais fini, il avait fini, nous avions fini, vous aviez fini, ils avaient fini.*

Passé simple : *je finis, tu finis, il finit, nous finîmes, vous finîtes, ils finirent.*

Impératif présent : *finis, finissons, finissez.*

Présent du conditionnel : *je finirais, tu finirais, il finirait, nous finirions, vous finiriez, ils finiraient.*

Passé du conditionnel : *j'aurais fini, tu aurais fini, il aurait fini, nous aurions fini, vous auriez fini, ils auraient fini.*

Présent du subjonctif : *que je finisse, que tu finisses, qu'il finisse, que nous finissions, que vous finissiez, qu'ils finissent.*

VOIR : Participe passé : *vu.*   Participe présent : *voyant.*

Présent de l'indicatif : *je vois, tu vois, il voit, nous voyons, vous voyez, ils voient.*

Imparfait : *je voyais, tu voyais, il voyait, nous voyions, vous voyiez, ils voyaient.*

Futur simple : *je verrai, tu verras, il verra, nous verrons, vous verrez, ils verront.*

Futur antérieur : *j'aurai vu, tu auras vu, il aura vu, nous aurons vu, vous aurez vu, ils auront vu.*

Passé composé : *j'ai vu, tu as vu, il a vu, nous avons vu, vous avez vu, ils ont vu.*

Plus-que-parfait : *j'avais vu, tu avais vu, il avait vu, nous avions vu, vous aviez vu, ils avaient vu.*

Passé simple : *je vis, tu vis, il vit, nous vîmes, vous vîtes, ils virent.*

Impératif présent : *vois, voyons, voyez.*

Présent du conditionnel : *je verrais, tu verrais, il verrait, nous verrions, vous verriez, ils verraient.*

Passé du conditionnel : *j'aurais vu, tu aurais vu, il aurait vu, nous aurions vu, vous auriez vu, ils auraient vu.*

Présent du subjonctif : *que je voie, que tu voies, qu'il voit, que nous voyions, que vous voyiez, qu'ils voient.*

SAVOIR : Participe passé : *su.*   Participe présent : *sachant.*

Présent de l'indicatif : *je sais, tu sais, il sait, nous savons, vous savez, ils savent.*

Imparfait : *je savais, tu savais, il savait, nous savions, vous saviez, ils savaient.*

Futur simple : *je saurai, tu sauras, il saura, nous saurons, vous saurez, ils sauront.*

Futur antérieur : *j'aurai su, tu auras su, il aura su, nous aurons su, vous aurez su, ils auront su.*

Passé composé : *j'ai su, tu as su, il a su, nous avons su, vous avez su, ils ont su.*

Plus-que-parfait : *j'avais su, tu avais su, il avait su, nous avions su, vous aviez su, ils avaient su.*

Passé simple : *je sus, tu sus, il sut, nous sûmes, vous sûtes, ils surent.*

Impératif présent : *sache, sachons, sachez.*

Présent du conditionnel : *je saurais, tu saurais, il saurait, nous saurions, vous sauriez, ils sauraient.*

Passé du conditionnel : *j'aurais su, tu aurais su, il aurait su, nous aurions su, vous auriez su, ils auraient su.*

Présent du subjonctif : *que je sache, que tu saches, qu'il sache, que nous sachions, que vous sachiez, qu'ils sachent.*

Imprimé en France par la Société Nouvelle Firmin-Didot
Nº d'impression : 11773
Dépôt légal : avril 1989
Dépôt légal de la 1re édition : 4e trimestre 1986